新潮文庫

ノックの音が

星 新 一 著

目次

カット　真　鍋　博

ノックの音が

なぞの女

ノックの音がした。

ここはちょっと高級なマンションのなか。内部は和室と洋室、それにダイニング・キッチンと浴室から成っている。

ノックの音で、和室にひとりで眠っていた鈴木邦男《くにお》は目をさました。としは三十歳。商業デザイン関係の仕事をしている。

邦男はいったんあけかけた目を閉じ、顔をしかめながら、手で後頭部を押えた。ずきずき痛む。昨夜、飲みすぎたせいだな、と彼は思った。胸がむかつき、二日酔いの気分にまちがいない。だれと飲んだのかを思い出そうとしたが、それはだめだった。調子にのって、はしごをやってしまったのだろう。よくあることだ。

腕時計をのぞくと、お昼ちかい。あたふたと出勤しなくてもいい職業であることに、彼は感謝した。きょうは休むことにしよう。またも、ドアにノックの音がした。だれが来たのだろう。郵便配達だろうか。なにかの集金人だろうか、それとも仕事の関係者だろうか。

「ああ……」

邦男は応答めいた声をあげたものの、まだ寝床のなかでぐずぐずしていた。二日酔いはいやなものだ。それに、急に高まった暑さのせいもあった。彼はタオルの掛けぶとんで、だるそうに顔の汗をぬぐった。

すると、ドアの握りの回される音がし、だれかが入ってくる気配がした。昨夜、鍵《かぎ》をかけ忘れてしまったらしい。不用心なことだ。それにしても、失礼なやつだな。こう思いながら、邦男は視線をそちらにむけた。だが、その目は何回か激しくまばたきをし、最後に大きく見開いたままになった。

入ってきたのは、二十五歳ぐらいの女。しかも、美しい女性だったのだ。邦男の頭からは、痛みも眠気もいっぺんに消えた。

「あ……」

と言いかけて、彼はあとの言葉をのみこんだ。いや、なんと話しかけたものか、見当がつかなかったのだ。男がひとりで寝ている部屋に、遠慮なく入ってきた見知らぬ女にむかって、どうあいさつをすべきだろう。

邦男は一瞬のうちに、知っている限りの女性を頭のなかで検討しなおした。しかし、

そのどれにもあてはまらない。いったい、彼女はなにもので、なんの用で訪れてきたのだろう。彼はためらったあげく、寝そべったまま声をかけた。変に驚かさないよう、気をくばった口調で言った。

「あなたは、どなたですか」

女はべつに驚きもせず、複雑な笑いを浮かべながら応じた。

「そんなこと、おっしゃらないでよ。ねえ」

それには、なれなれしさとともに、押しつけるような響きがこもっていた。彼はつぎの質問を、さしひかえざるをえなかった。女がこれからなにをやるつもりなのかを、いちおう見まもろうという気になった。すると、さらに予期しなかったことが進行しはじめた。

「きょうは暑いわねえ」

こう女は言い、服を脱ぎはじめたのだ。はじらうようすはなく、いとも平然とそれがなされた。あまりに突然であり、また、あまりに自然であったため、邦男は制止する機会を逸した。

下着だけになった女は、窓を少しあけ、そとの風を迎え入れていた。また、ハンドバッグからハンケチを出し、肩や胸のあたりの汗を押えた。

ひきしまったからだつき。若々しく白い肌。邦男は意識して目をそらせた。食い入るように見つめるわけにもいかないではないか。だが、だまったままでは、気まずさが高まるばかり。それを追い払うためには、なんでもいいから言わなくてはと思い、彼は声を出した。

「浴室のシャワーでもあびたら……」

暑いという言葉に応じたつもりだった。だが、こんなことを言ってよかったのかな。彼は気になり、途中で声を小さくした。へたなことを口にすると、相手は急に怒り出さないとも限らない。

しかし、そんな心配は不要だったようだ。

「そうするわ」

と、女は浴室のなかに消えた。やがて、水のほとばしる涼しげな音がおこった。だが邦男のほうは、いまの裸身にむかって水が吹きつけている光景を想像すると、熱っぽく息苦しい気分になった。彼はその感情をつとめて振り払い、冷静さをとりもどそうとした。とりあえずは、事態をたしかめるほうが先決だ。

あの女は、だれなのだろう。男ひとりの部屋に入ってきて、親しげにふるまう女。いかがわしい商売に従ってでもいるのだろうか。当然のことながら、この仮定が第一に浮かんできた。しかし、それはすぐに否定した。服装にも、化粧にも、それらしき崩れた雰囲気は少しもない。となると……。

その答えは、すぐには出てきそうになかった。せめてヒントでもあればいいのだが。

邦男はそっと起きあがり、置いたままになっているハンドバッグめがけて、しのび寄った。良心の呵責《かしゃく》より、現状理解への好奇心のほうが強かった。あける前にパチリと音がしたが、シャワーの音は相手に気づかせないでくれるだろう。

彼はなかをのぞいてみた。しかし、手がかりになるような品はなかった。手帳とか身分証明書とか、定期券といった品はなく、口紅とか財布のたぐいだけだった。財布もすばやくあけてみた。少なくも多くもないといった金額が入っていた。

シャワーの音が弱まりかけたので、邦男はあわてて寝床へもどった。なにくわぬ顔でタバコに火をつけ、枕《まくら》もとにある大きなガラスの灰皿に灰を落しつづけた。

浴室から下着姿の女が出てきた。肌がしっとりとぬれ、さわったらひんやりした感触がありそうだった。彼女は、すぐに服を着ようともせず言った。

「ああ、さっぱりしていい気持ちだわ。だけど、あたし、のどが渇いているのよ」

「冷蔵庫のなかに、なにかが入っているかもしれない」

と邦男は答えた。ほかに言いようもないではないか。相手にさからわずに応じていれば、そのうち、なぞのほぐれるきっかけが見いだせるかもしれない。

キッチンのほうで冷蔵庫の扉の開く軽い音、センを抜く音、ビンとコップのふれあう音がした。また、女の呼びかける声も伝わってきた。

「あなたも、お飲みになる……」

「ああ」

邦男はつぶやくように答え、首をかしげた。どういうことなのだろう、これは。押しかけ女房という言葉が頭に浮かんだ。しかし、押しかけという強制的な感じはない。もっと自然であり、なれなれしいのだ。それとも、よほどの演技力の持ち主なのだろうか。

女はジュースをみたしたコップを両手に持って戻ってきた。右手のを歩きながら自分で飲み、邦男のそばにやってきてすわった。そして、左手のをさし出した。

「冷えていて、おいしいわ。さあ」

邦男はちょっと震え、手を出して受け取るのをためらった。女の顔には、困ったような表情があらわれた。せっかく運んできたのに、という不満げなようすだった。しかし、それはすぐに消えた。

しかたなく、女はコップを畳の上に置き、自分の顔を邦男の顔に近づけてきた。彼は呆然《ぼうぜん》としていたが、すぐそばまで迫ってきて、気がついた。キスをするつもりらしい。邦男は少し顔をそむけた。そのため、女のくちびるは彼のひたいに触れた。

気が進まなくて拒否したのではない。相手は美しい女なのだ。しかし、いくらなんでも、不意に入ってきた見知らぬ女性、名前すら知らない女性と積極的にキスをするのは、ためらわざるをえない。警戒心をゆるめるのは、まだ早い。

巧妙きわまる、押しかけ女房作戦。その術中に簡単におちいってしまうのも、どうもしゃくだ。といって、そんな結果になってしまうのも、まんざら悪くはなさそうに思えた。純真そうであり、魅力的でもある。いくらか気の強そうなところもあるが、ものぐさな性格の自分には、そのほうがいいのかもしれない。

そばにすわっている女から、かすかにからだのにおいがただよってきた。邦男は相手に気づかれぬよう、そっと横目で眺めた。なめらかな肌が、すぐそばにある。彼は手を伸ばし、彼女に触れたい衝動を押えるのに苦心した。また、そんな気持ちを、相手にさとられぬよう努力した。

さわっただけではすみそうもないと、自分でもわかっているからだ。さわれば、さらに力を加えたくなるだろう。寝床に引っぱりたくもなるだろう。さらに……。

女の態度には、それを待ち望んでいるようなけはいさえある。その点に気づき、彼は冷静さを少しとり戻した。

どういうことなのだ。これでは、あまりに話がうますぎる。うますぎる話こそ、注意しなければならない。もしかしたら、なにかの目的を秘めたわなではないだろうか。一線を越えかけたとたん、どこからともなくカメラのシャッターの音が響いてくるとか……。

そういえば、部屋に入ってきたとたん女は窓をあけた。邦男は窓のほうに目をやった。しかし、夏空がひろがっているだけで、内部をうかがっている者もない。ここは三階であり、いまは昼間だ。窓の外にへばりついている人影があれば、まず通行人が見つけてさわぎだしているはずだ。

邦男は女を正面から見つめた。その顔には、犯罪めいたかげはまったくない。ついに彼は、そっけない口調で言った。

「ぼくがだれだか、ご存知なんですか」

「よしてよ、そんなことをおっしゃるのは。ねえ」

と、女は同意を求めてきた。「ねえ」という声には、説明不要という響きがあり、いくらか悲しそうな調子も含まれていた。

「ああ」

と答えはしたが、邦男には少しもわからなかった。自分ながら、うつろな声だなと思った。だが、この事態をいつまでもなぞのままには、しておけない。なんとか、解決をつけなければいけない。無理にでもだ。彼は頭をしぼった。

なにかの冗談なのだろうか。とつぜん女が笑い出し、解説でもしてくれないかと期待した。しかし、いくら待っても、それは起りそうにない。女にはどこか真剣さがあり、悪ふざけといったものは感じられない。

モデルか弟子入りの志願者なのだろうか。だが、それだったら、なにもこんな方法に訴える必要はあるまい。常軌を逸している。

そのほか、いろいろな場合を考えてみた。しかし、これはという的確な仮定は見いだせなかった。邦男はふたたび聞いてみた。

「あなたはどなたなのですか」

「よしてよ、そんなおっしゃりかたは」

女はちょっと、うらめしそうな目つきをした。依然として同じことだった。

どこかがおかしい。邦男はこう考え、いままで触れまいとしていた唯一《ゆいいつ》の答えにたどりついた。おかしいのは、女の頭のなかなのだ。美しい顔の、うるんだような目。

その奥に狂った妄想《もうそう》が存在しているとは、考えたくない気分だった。しかし、それ以外に説明のつけようがない。彼はいたわるような口調で言った。

「お医者さんに行ってみたらいかがでしょう」

そのとたん、女の表情に激しい変化が起った。困惑したような悲しいような、驚いたような感情があらわれた。

それから、女は眉《まゆ》を寄せ、じっと考えこんだ。なにを考えているのだろう。狂った頭では、どんなことを、どう考えるものなのだろうか。邦男は少し緊張した。相手が予期しないような行動に走らないとも限らない。

たしかに、予期しなかったことが起った。女がそっと、こう答えたのだ。

「そうね。そうしたほうが、よさそうね」

大きな叫び声もあげず、反抗してあばれることもなく、女はすなおだった。彼女は服を着け、ハンドバッグを持ち、簡単に化粧をととのえ、部屋から出ていった。

ドアの閉じる音を聞きながら、邦男はつぶやいた。

「変なこともあるものだな」

彼は一応ほっとし、寝床にあおむきになったまま、いまの出来事を回想した。信じられない幻覚のように思えてならなかった。そばにジュースの入ったコップさえ残っていなければ、夏の日の夢と片づけてしまえるのだが……。

彼はジュースを口にした。まだ冷たさは残っていて、のどに快かった。

しばらくすると、ドアのそとに足音がした。

邦男が身をおこしかけた時、ドアが開き、さっきの女が入ってきた。なにか忘れ物でもしたのだろうか。病院の所在でも聞きに戻ってきたのだろうか。彼は聞いてみた。

「お医者さんはどうでしたか」

「ここにいらっしゃるわ」

と答える彼女のあとにつづいて、ひとりの男が入ってきた。きちんとした身なりの、理知的そうな中年の男だった。

「ますますわからない。どういうことなのです」

邦男は、好奇心と不安とにあふれた声をあげた。しかし、その答えはなく、彼が耳にしたのは、女と中年の男との会話だった。

「ほら、先生。妻であるあたしのことを、すっかり忘れてしまっているんですのよ。きのうの夜、ひどく酔っぱらっておそく帰ってきたので、あたし、かっとなってしまいました。勢いよく彼を突きとばし、実家に帰ってしまいましたの。だけど、きょうになって反省し、戻ってきてみると、どうもようすが変でした。あたし、最初は皮肉かと思っていたんですけど……」

「軽い記憶喪失のようですな」

と男はうなずき、さきをうながした。

「ええ。あたしたちが知り合い結婚したここ一年間のことを、なにもかも覚えていないようですわ。倒れた時に、そばの灰皿に頭でもぶつけたためでしょうか」

「そうかもしれません。しかし、そうご心配なさることはありませんよ。すぐによくなられるでしょう」

現代の人生

ノックの音がした。

　夜の十時ごろ。ここは、さして広くないアパートのなか。ノックの音はすみずみまで響いた。だが、室内は薄暗く静かで、応答するけはいはなかった。

といって、なかにだれもいないわけではなかった。この部屋の住人である二十七歳の男、山下友彦《ともひこ》が粗末なベッドに横たわり、目を閉じていた。しかし、眠っているのではない。眠れるものなら眠りたかったのだが、心の悩みは彼を眠らせなかったのだ。

　またもノックの音がした。だが、友彦は声もあげず、立ってドアにむかおうともしなかった。用事のある客なら、自分の名前ぐらい告げるはずだ。そうしないところをみると、どうでもいい相手にちがいない。

　ドアのノックの音はそれきりで、二度とおこらなかった。留守とでも思って、あきらめて帰っていったのだろう。それでいいのだ、と彼は思った。おれはいま、だれにも会いたくないのだ。

友彦は手さぐりでタバコを取り、口にくわえて火をつけた。炎の輝きが一瞬のあいだ、彼の顔を浮き上らせて消えた。悩みにみちた、内気そうな、放心状態の顔を。暗いなかでは、おだやかに流れる煙を見ることができず、タバコの味はうまくなかった。彼は灰皿でもみ消し、深いため息をついた。このように悩みごとを吐き出せたらな、といった感情がこもっていた。

その時。窓ガラスがかすかに音をたてた。友彦は不審そうに目をこらしたが、暗さのため、よくわからない。彼はつぶやいた。

「風でも出たのだろう」

しかし、がたがたいう音はつづき、やがてガラスにひびの入る音がし、さらに窓の開く音がした。そのうえ、人影がなかに入りこんできたように思われた。

友彦は緊張した。だが、声をたてるべき時機は逸してしまった。いまとなって大声をあげたら、なにがおこるか予測できない。彼にできるのは、息をこらして、ようすをうかがうことだけだった。

懐中電灯がつき、その黄色っぽい光が、部屋のなかをなではじめた。そのうち、光はベッドの友彦の姿をもとらえた。懐中電灯の持ち主は、ぎょっとしたような声を出した。

「これはどういうことだ。病気なのだろうか。まさか、死んでいるのでは……」

友彦は光を顔に受け、まぶしそうに目を細めて言った。

「べつに病気ではないよ。だが、病気よりひどいと言えるだろう。心の悩みで、死にたいくらいだ。だれだかしらないが、ほっておいてくれ」

「変な所に入り込んだものだな。留守だとばかり思っていたのに。おれは泥棒だ。声を立てるな。金目のものを出せ。これが目に入らないか」

侵入者はどぎまぎした口調だったが、しだいに物なれた口調をとり戻してきた。

「なにを持っているのか、暗くてよくわからないが、手むかいはしない。第一、そんな元気もないよ。まあ、電気をつけよう」

「まて。そんなことをしたら、おれの姿がそとから見えてしまう。カーテンをしめてからだ。いいか、変なまねをするなよ」

侵入者はカーテンを引き、友彦は電灯のスイッチを入れた。スタンドの光があたりの闇《やみ》を追い払い、侵入者を見ることができた。

年齢は友彦と同じくらいらしいが、がっしりした体格だった。サングラスをかけているため、顔つきはよくわからない。

手には鋭いナイフを持っていて、その切先きが宙に弧を描いた。友彦は青ざめ、目をそむけ、震え声で言った。

「早くそれをしまってくれ。そんなものは、これ以上、見ていたくない。おとなしくするから、それだけは引っこめてくれ」

「そうしてもいい。だが、そのかわりしばらせてもらうぜ」

侵入者はポケットからひもを出し、手足をしばった。なれているのか、それは手ぎわよく、完全だった。友彦は話しかけた。

「さがすのはご自由だが、たいしたものはないよ」

「あるかないかは、こっちできめることだ。そんな言葉でおとなしく引きさがる泥棒など、あるわけがない」

泥棒はとりあわなかった。低いがすごみのある声だった。何度も場かずをふんでいるのかもしれない。そして、壁ぎわの洋服ダンスなどをあけはじめた。友彦は言った。

「服をみんな持っていってもいい。そこにフロシキも入っている」

「いやに協力的だな」

「ああ、もう、おしゃれをする気もしなくなったからね」

「大きなフロシキをしょって、夜の道を歩けるものか。そんなのは漫画に出てくる泥棒だ。まあ、おれの仕事中は黙っていてくれ」

侵入者は洋服ダンスの上をのぞき、小さな本棚に目を走らせた。熟練した検査工が、製品を調べるのに似ていた。友彦は指示された通りに黙っていたが、好奇心を押えられなくなって聞いた。

「こんなことを、いつもやっているのか」

「まあ、そういったところだ」

「成功つづきか」

「いままで、失敗したことはない。おれの手口はこうだ。まず、灯のついていない部屋を調べ、そこのドアをノックする。応答があったら、適当にごまかして引きあげる。応答がなく、留守とわかればしめたものだ」

「すると、さっきのノックが……」

「そこで、窓のほうから侵入する。椅子《いす》かなにかで内側からドアを押えておけば、住人が帰ってきても、逃げ出す時間は充分にある」

話の内容もさることながら、その自信にあふれた口ぶりのほうに、友彦はまず感心した。

「なるほど、考えたものだな。しかし、万一、失敗してつかまったらどうする」

「そんなことを考えていたら、なにもできない。どんな商売についても、言えることだ。そうじゃないか」

「そう言われると、その通りだ。きみは自信にみちていて、うらやましいな」

友彦はうなずきながら言った。相手はあわれむような口調になった。サングラスのむこうには、あわれむような目つきがあるにちがいない。

「あんたは、くよくよしすぎる性格のようだな。それはよくないぞ。悩んだからといって、なんの役に立つ。現代に生きるのに必要なのは、強い神経、それに自信と行動あるのみだ」

「そんな性格になりたいものだよ。自分でも、つくづくそう思う」

「なれるとも。だが、性格とは、他人が与えてくれるものではない。自分で努力し、築きあげるものだ。しかし、いったい、なんでそう絶望的になっているのだ」

と相手は聞き、友彦は口ごもったあげく、吐き出すように言った。

「女だ。女のことだ。そのことで、これからどうしようかと、さっきから……」

「説明しなくてもわかっている。どうせ、おまえさんの性格だ。ていよく振られたというわけだろう」

「ああ、冷たくあしらいやがった。ひどい女だ。ぼくに将来性がなく、金がないからといって……」

友彦はしだいに興奮しかけてきたが、侵入者は舌うちし、話をもとにもどした。

「そんなことだろうと思った。まったく、目ぼしい物はなにもない。あわれなやつだな」

「ポケットに万年筆がある。金ペンだ。机の引出しには、質札がある。金銭に関係したものといったらそれくらいだ」

「くだらん、最低だ」

泥棒は机の上を眺め、銀色のものを見つけ、手を伸ばした。伏せておいてある、写真立てだった。友彦は気がついて言った。

「あ、忘れていた。それは銀製だ。持っていってもいいよ。だが、その写真はどこかへ捨ててくれ。もう見たくないので、伏せてあるわけだ」

侵入者は手に取り、あかりにむけた。

「こんな品は盗んでも価値はない。なるほど、これが問題の女か。たしかに、冷たい感じのする女だな」

「ああ、つくづく思い知らされたよ。そこで、ぼくは……」

「わかったよ。おれは、おまえさんの愚痴を聞きに来たのではない。それにしても、聞いていて歯がゆくなるな。おれと同じぐらいの年齢だろうに。情けないったらないぞ。おれは、これだけ頭を使い、からだを張り、毎日毎日を生き抜いている。手に入れた金は、思いのままに使う」

「いい生活だな。それで、良心はとがめないのかい」

「過去を考えても、しようがないだろう。やってしまったことは、反省したって、どうなるものでもあるまい。また、明日は明日だ。明日のことを、あれこれ考えてみても無意味だ。水爆が落ちるかもしれんし、地震が襲うかもしれん。自動車事故にあうかもしれんし……」

侵入者は活気のあるしゃべり方だった。それにつられ、友彦も少し笑った。

「泥棒に入られるかもしれんし……」

「まぜっかえすな。要するに、考えることは、今日という一日だけでいい。そのかわり、全能力を注ぎこみ、後悔しないだけ楽しむのだ。これ以外に、現代の生き方があるか」

「わかった。ぼくにも力がわいてきたようだ。これからは、きみを見習って生きることにしよう。さっきまでは、これからどう生きようかと、悩んでいたところだ。きみに会わなかったら、ぼくの明日はどうなっていたことか。よく泥棒に入ってくれた……」

その時。ドアにノックの音がした。泥棒はぎくりとし、警戒心をとり戻した。

「だれだ、やってきた者は」

「あけてみなくては、わからない」

「適当に返事をして追いかえせ。変にさわぐなよ」

泥棒はポケットに手を入れ、ナイフをにぎった。しかたなく、友彦はドアに声をかけた。

「はい。なんのご用でしょう」

それに対し、ドアの外の声は答えた。

「夜おそくおじゃましますが、警察の者です」

それを聞いて泥棒は顔色を変え、友彦とのあいだに、早口の会話がかわされた。

「なぜばれたのだろう。おまえが連絡したのか」

「そんなことはない。ここには電話もなければ、非常ベルもない」

「いずれにせよ、おれは逃げる。あばよ」

「無理だろうな。たぶん、窓の外にも待ち構えているだろう」

「ああ、もうだめか。畜生」

泥棒はカーテンから外をうかがい、警官らしい人影をみとめ、がっかりしたように言った。友彦はそれをなぐさめ、提案した。

「その洋服ダンスにかくれたらどうだ。ぼくが、うまくごまかしてやるよ」

「ご親切だな。だが、その手には乗らない。そのまま警察に引き渡すつもりだろう。おれは、それほど甘くはない。あくまで抵抗し、脱出してみせる」

「無茶なことをするなよ。しかし、簡単に他人を信用しないのも、無理からぬことだ。では、こうしたらどうだろう。ぼくのほうが洋服ダンスに入る。きみはぼく、つまり山下友彦になりすまして応対に出るという方法は……」

と、友彦は自分の名案に目を輝かせた。

「それはいい。しかし、いやに親切だな」

「きみはなにも盗まなかったばかりか、生きる方針を与えてくれたじゃないか」

泥棒はうなずき、ポケットのナイフを出し、友彦の手足のひもを切った。ドアの外からは、いらだった声が響いてきた。

「警察です。早くあけて下さい。無理にでもあけて入りますよ」

友彦は洋服ダンスに入り、泥棒はサングラスをはずしながらドアにむかった。

「お待たせしました。いま、おあけします」

ドアをあけると、三人の警官が油断のない身構えで立っていた。その一人が言った。

「山下友彦さんの部屋ですね」

「ええ、ぼくがそうです。夜おそく、ごくろうさまです。泥棒さわぎで、このへんに追いつめでもしたのですか。しかし、ごらんの通り、ここは大丈夫ですよ」

泥棒は、そつのない答えをした。その生活信条のごとく、笑いながら、自信にあふれた口調だった。しかし、警官は顔をしかめた。

「なにを言っている。とぼけてもだめだ。おまえを連行しに来たのだ。海岸に女の死体が流れついた。ナイフで刺されたのが死因だ。その女の身もとが判明し、おまえがいつもつきまとっていたことがわかった」

「なんですって。殺人とは、ひどい誤解だ。第一、おれは山下友彦ではない」

「それなら、なぜさっき認めた。なぜ、ここにいる」

「じつは、その……」

「それみろ、答えられまい。文句があるのなら、署でゆっくり聞いてやる」

泥棒は突然あばれ出し、わめき声をあげた。だが、たちまち取り押えられた。その時、ポケットからナイフが落ちた。警官は、

「凶器もあった。これで、家宅捜査の必要もないだろう」

と手錠をかけ、引き立てていった。

みなが去ったあと、洋服ダンスから友彦があらわれ、だれもいないのをたしかめ、軽くつぶやいた。

「女に冷たくされ、かっとなって殺してしまったものの、自首の決心がつかず悩んでいたところだった。しかし、いまのやつのおかげで、現代の生き方とやらを教えられた。一瞬一瞬に全能力を注ぎこめばいいらしい。やったことを、くやんでもしかたない。明日を思い悩んでも意味がない。逃げられるだけ逃げ、人生を楽しむことにするか。なんとかなりそうな気がしてきたぞ」

そして、みちがえるような明るい表情になり、服を着かえ、ドアから出ていった。

暑い日の客

ノックの音がした。

暑い夏の日の真昼。ここは都心に近いビルの一室、水瀬博士の診療所だ。

博士は中年の男で、精神分析療法を専門としていた。早くいえば、心の悩みをなおすのが仕事だった。したがって、一般の病院とちがい、医療機械のたぐいは置いてない。壁ぎわの本棚には、横文字の学術書や文献がぎっしり並べられ、権威ありげなムードをただよわせている。室内は、上品なつくりで静かだった。

ノックの音が響いたが、博士は机にむかい、書類に目を通しつづけていた。聞こえなかったのではない。来客は助手が取次ぐことになっているからだ。

またもノックの音がした。博士はやっと気がついた。助手はさっき食事に出かけたままで、まだ戻っていないことを。いま室内にいるのは、博士ひとりだ。彼は顔をあげ、ドアに呼びかけた。

「どうぞ、おはいり下さい」

ドアが開き、小さなカバンをさげた青年が入ってきた。ネクタイはしていないが、この暑いのに、きちんと上着をつけている。といって、礼儀正しいわけでもなさそうだ。帽子をかぶり、黒い眼鏡をかけていて、室内に入っても、そのいずれをも取ろうとしない。濃い黒眼鏡のせいか、顔の色が目立って白く見える。

青年はうしろを気にしながらドアをしめ、大きく息をした。なにかにおびえてでもいるようだ。だが、のんびりした顔でここへやってくる患者など、あるわけがない。

水瀬博士はやさしく声をかけた。

「さあ、気を落ち着けて、こちらへおいでなさい」

そして、机のそばの椅子《いす》を指さした。しかし、青年は立ちどまったまま、細い声で言った。

「あの、先生でいらっしゃいますか……」

ひどく女性的な声だった。そういえば、動作にも女性的なところがある。どんな精神的な欠陥なのだろうか。職業がら、博士はそんなことを考えながら答えた。

「ええ、わたしです。ところで、まず帽子でもお取りになったらどうです。それに、眼鏡も。気持ちをゆっくりさせて下さい」

相手はしばらくためらっていたが、それに従った。すると、青年はたちまち女性に変化した。いや、女性であることがはっきりしたのだ。

短く刈ってあるとはいえ、髪はやわらかみをおびた女性のそれであり、切れの長い目も、細い眉《まゆ》も、ひげのそりあとのない白くきめのこまかい皮膚も、すべて美しい女性であった。ほっそりとした容姿で、としは二十五歳ぐらいだろうか。心の奥で、大きな悩みを持てあましているような表情だった。

普通の人なら、驚きの声をあげるところだろう。だが、水瀬博士にとっては、べつに珍しい事態ではない。ここへのお客は、みなどこかしら異常なのだ。博士は冷静な口調で言った。

「暑いでしょう。上着もおとりになったら」

「ええ、そうさせていただきますわ。男のかたって、こんな服装でよくがまんできますのね」

女は上着をぬぎ、軽くたたんで、そばの台の上にのせた。その動作は、まぎれもなく女性のしぐさだった。

いや、そんなことでたしかめるまでもない。ワイシャツの胸のあたりのふくらみは、なまめかしい感じをともなって、呼吸とともに波うっている。また、男物のズボンのため、ヒップがきゅうくつそうだった。

椅子にかけた女に、博士は話しかけた。

「ここへは、あらかじめ予約してから、おいでいただくことになっているのですが……」

女は首をかしげ、まばたきをした。

「あら、さっきお電話で受付のかたにお話ししたら、すぐに来るようにとのことでしたのよ。その時、ここへの道順を教えていただいたし」

「あ、そうでしたね。失礼しました」

水瀬博士はそつなく答えた。助手のやつめ、報告するのを忘れたまま外出したとみえる。暑さのせいで、ぼんやりしたのだろう。帰ってきたら、よく注意してやらなくてはならない。

しかし、博士はそんな内心を、少しも表情に出さなかった。手落ちはこっちにあるのだし、最初から患者と議論になってはよくないのだ。また、どことなく興味をひかれる女性でもある。興味とはいっても、学術的な興味だが。

女は、あたりを見まわしながら言った。

「あたし、こんなところへうかがうの、はじめてですの。ずいぶん迷いましたけど、思いきっておたずねしてみると、やはりよかったと感じますわ。なんだか、心からたよれる気持ちになって、ほっとしましたわ」

博士は満足げにうなずいた。軽薄で不安げな印象を与えては、この仕事にさしつかえる。まず、お客に信頼感をいだかせるのが第一なのだ。

彼はメモ用紙と鉛筆とを用意し、ものやわらかな、しかも威厳をともなった口調で言った。

「なにからおたずねしましょうか。まず、住所とお名前からでも……」

「ええ、でも、それが……」

と、女は口ごもった。

「いまおっしゃりたくないのでしたら、この次の時でもかまいませんよ」

ここへの患者で、最初から堂々と住所氏名を告げたくない気分のあることは、よくわかっている。その抵抗にさからって、無理に聞き出すのもよくないのだ。相手は開きかけた心の殻を、ふたたび固く閉じてしまう。

だが、女はその意味をとりちがえたのか、カバンに手を伸ばしながら言った。

「あの、お金のことがご心配なのでしたら、いま、お払いいたしますわ」

「いえ、あとでもけっこうですよ。で、お悩みごとは、どんな問題でしょう」

「あの、それが……」

また女はためらい、博士はうながした。

「どうぞ、安心してお話し下さい。このような職業では、お聞きした内容を、決してよそにもらせないことになっております」

「そのことは、なにかの本で読んだことがございますわ。でも……」

「さあ、勇気を出して、打ちあけて下さい。そうでなければ、問題は少しも解決しません。協力的になっていただけるほど、わたしも仕事がやりやすいのですよ。そして、それがあなたのためにもなるわけでしょう」

女はやっと話しはじめた。

「さっきのお電話でお話ししましたけど、あたし、殺してしまったのですわ」

水瀬博士は依然として冷静で、メモをながめるふりをし、確認するような調子で言った。

「ああ、そんなお話しでしたね。で、殺したのは、なんでしたでしょう」

「豚よ」

女は吐きすてるように言った。異様な響きがこもっている。普通の人なら、その対比の意外さに、笑い出すところだろう。しかし、水瀬博士はちがう。メモに記しながら、ちょっと考えただけだった。

そう重症の患者でもなさそうだな。神経のこまかい女性なら、豚の死でも相当ショックを受けるものだ。自動車で田舎道を走っていて、豚にぶつけでもしたのだろうか。しかし、なんでそれが男装と結びつくのだろう。こんな例は、いままでになかったようだ。

しかし、彼はあまりくわしく聞くのを避けた。最初から核心に触れようとしないほうがいいのだ。この女がどんな精神状態にあるのかを、大ざっぱにつかむのが先決だ。博士はなにげない口調で聞いた。

「で、豚が死んで、どんなお気持ちですか」

「そんなことにも、お答えしなければなりませんの」

「おいやならけっこうですが、ここが重要な点のような気もしますので」

博士は無理じいをしなかったが、女は答えてくれた。

「そうかもしれませんわね。かわいそうな気もするし……」

「でしょうね。ほかにも、なにか感じますか」

「ええ、その一方では、さっぱりした気分ですわ」

なるほど、ちょっと異常なところもあるようだ。博士はさきをうながした。

「あなたは、ここへおいでになる気になられた。その決心の原因はなんでしょうか」

「お電話でお話ししましたわ。犬よ」

博士は心のなかで顔をしかめた。助手のやつめ、黙って外出してしまいやがった。おかげで、こっちはつじつまを合わせるのに、ひと苦労だ。

「いや、大切な部分は、ご本人の口からくりかえしていただき、たしかめなければならないのです。犬がどうなのですか」

「犬に追いかけられているのよ。犬に」

女の口調は、犬という語で激しくなり、嫌悪《けんお》と不安のまざった感情があった。それにしても、豚と犬とは、妙な取り合せだ。幼年時代に童話にでも熱中しすぎ、それが豚の件で心の内部において、表面化したのかもしれない。博士はメモをとりながら言った。

「犬のこないような場所へ行きたいとは、お考えになりませんか」

「もちろん、それはやってみましたわ。それで、いまはホテルに泊っておりますの。いろいろとホテルを移ってみましたけど、かぎつけるらしく、犬はあくまで追ってきますの。それがいやで、いやで……」

「なるほど、そうでしょうね」

博士はうなずき、鉛筆のはじをくちびるに当てた。あるいは、実在の犬ではないのかもしれない。この女の心のゆがみがうみだした、幻影の犬なのかもしれない。

「あの、あたし、どうしたらいいのでしょう」

「二つの方法が考えられます。まず、その犬を手なずけようと試みたらどうでしょう。あなたは、とても魅力的な女性です。逃げたりせず、その気になって近づけば、犬だっておとなしくなりますよ」

この指示に、女はちょっととまどったらしかった。しかし、自分の容貌《ようぼう》をほめられ、少し笑いを浮かべた。

「そうね。いままで考えもしなかったけど、そういう方法もあったわけね。でも、うまくゆくかしら。もし、だめだったら……」

「もう一つの方法は、勇気を出して立ちむかうことです。いよいよとなったら、豚と同じように、やっつけてしまうのですよ」

女は緊張した。からだをかたくし、目を丸く見開いた。

「そんなことをして、大丈夫かしら」

「大丈夫ですとも、わたしが保証します。いずれにせよ、あなたに勇気を出していただくのが第一です。わたしの仕事は、それをお助けするものです」

水瀬博士の応対は、長い経験で裏打ちされていて、説得力があった。女の表情にも自信がよみがえってきた。

「やってみますわ」

「まあ、あせらずに進みましょう。あしたの午後にでも、またおいで下さい。事態がよい方に進めばいいですね。きょうは、これから、べつなお客の予定があるのです」

博士は時計を見ながら告げた。女は、

「とりあえず、お礼として、これだけお渡ししておきますわ」

と言い、封筒を机の上に置いて部屋から出ていった。しかし、博士は押しとどめようともしなかった。あしたも来るのだし、いずれ精算すればいい。彼はメモの整理をはじめた。


その時、ドアにノックの音がした。

助手が戻ったのなら、ノックはしないはずだ。いまの女が引きかえしてきたのだろうか。それとも、約束の患者だろうか。博士は大声で答えた。

「どうぞ」

だが入ってきたのは、そのいずれでもなかった。となりの部屋に事務所を持つ、福岡という男だった。職業は弁護士。水瀬博士は迎えながら聞いた。

「なにかご用でしょうか」

「いや、たいしたことではありません。週末にゴルフをごいっしょにどうかと、おさそいに寄ったわけですよ」

「けっこうですな。暑い日がつづきますから、高原のゴルフ場へ出かけるのは大賛成ですよ」

ふたりは汗をぬぐい、福岡弁護士は思い出したように言った。

「暑さのせいか、妙なことがありましたよ。秘書の話だと、さっき女の声で電話があったそうです。自首をしたいから、わたしに相談したいとかで。場所を教え、すぐ来るように言ったのですが、いまだに来ません。真に迫っていて、たちの悪い冗談でもなさそうだったということですが」

「どんな事件なのです」

「なんでも、豚のようにいやらしい亭主を殺してしまったとか。大金を持って逃げたが、亭主の部下の、犬のように忠実な男に追いまわされているとも言っていたそうです。男装して逃げまわっているという話です。もしやって来たら、水瀬先生に精神鑑定をおたのみすることになるかもしれません。その時は、よろしく願いますよ。しかし、いままで来ないところをみると、暑さでのたわごとなのでしょうな」

それを聞いて、冷静な水瀬博士も息をのんだ。その女なら、もう来ましたよ。こう言おうとしたのだが、あの女がいまごろなにをはじめているかを考えると、とても声に出せなかった。

福岡弁護士が自分の部屋へと戻り、入れかわりに助手が帰ってきた。そして、呆然《ぼうぜん》としている水瀬博士に言った。

「先生、おそくなりました。じつは、ここの看板がよごれているので、店に持っていって、書きなおしてもらってきたのです。なにしろ、この仕事は患者に信頼感を与えなければなりません。よごれていないほうが、印象もいいでしょう」

夢の大金

ノックの音がした。

それは、たてつけの悪い玄関の引戸を、がたがた響かせた。夜の十時ごろ。ここは町はずれにある、ごく小さな一軒家。立派な家とはおせじにもいえない。

住人は山田庄造という、七十歳ちかい老人ひとり。彼はいま、六畳間のすみの粗末な机にむかっていた。古ぼけた机だが、この家で家具と呼べるものは、これぐらいだ。机のはじには安ウイスキーのびんがあり、半紙もひろげられてあった。庄造はすずりで墨をすりながら、考えごとをしていた。

このノックの音を耳にし、庄造は顔をしかめた。だれだって、静かに和歌をしたためようとしている時、不意の来客があっては、いい気持ちがしない。まして、彼が頭をひねっていたのは自分の辞世の歌だったから、なおさらのことだ。

山田庄造には身よりがなかった。結婚はしたのだが子供に恵まれず、妻には十年ほど前に先立たれ、さびしい境遇といえた。老人だといっても、金さえあれば再婚の相手になってくれる女もあるだろう。しかし、彼にはその金が、まるでなかった。

数十年を費して実直につとめて得た退職金は、口先のうまい青年実業家とやらにだまされ、出資と称してほとんど巻きあげられてしまった。悪銭身につかずというが、この種の善銭もまた身につきにくいものだ。

彼はわずかに残った金で、この家に移り、ここ五年ばかりをほそぼそと暮してきた。だが、その金もいよいよつき、家主からは立退《たちの》きを激しく要求されている。ウイスキーと半紙とを買ったら、金はまったくなくなった。持病の神経痛もひどくなった。こうなったら、死んだほうがいいというものだ。

といって、とくに死にあこがれているのではない。庄造もそれは考えた。なにか社会に、自分にも働けるような場所はないかと、熱心に職をさがしてもみた。しかし、こんな老人に職があるわけがない。

それに皮肉なことに、絶望的な気分で眠りにつくと、必ずといっていいほど、大金を手にした夢を見る。胸をときめかせて目をさますと、札束はすべて消え、あとには寒ざむとした部屋と、神経痛の痛みだけ残る。この対照のいちじるしさは、生きているのをからかわれてでもいるようだ。

ノックの音は、またもおこった。乱暴なたたき方だった。

「はいはい、いまあけますよ。どなたですか」

庄造は腰を押えながら立ちあがった。借金取りだろうか、立退きのさいそくだろうか。それにしても、時間がおそすぎる。

「おとどけ物ですよ」

と、戸の外の声が言った。なにかをくれそうな知人などない。まちがいではないだろうか。そう思いながら錠をはずすと、二人の男が、水門を開いたダムの水のように、勢いよく押入ってきた。

いずれも三十歳前後の男で、あまり目つきはよくない。一人はシャベルを持っている。こんな配達員など、あるだろうか。庄造は、押されてよろけながら聞いた。

「品物はどこです」

「さあ、知らんね。配達したい品物はありませんかという、ご用聞きだ」

むちゃくちゃな答えだった。さらに、もう一人が、わかりやすく解説した。

「そうでも言わなければ、あけてはくれまい。おれたちは、戸をこわすような無法なことをしたくないのだ。なるべくなら、礼儀正しく玄関から入りたかったのだ」

二人は土足のまま、ずかずかとあがりこんできた。

「待って下さい。なんで、ひとの家に勝手にあがりこむのです。あなたがたは、役人ですか」

あまりのことに、庄造はなじった。人生の最後の夜を、静かにすごそうとしていた時だ。それを乱す権利など、普通の者にはないはずだ。だが、二人は交互にしゃべった。

「ああ、役人だ。七年前まではある官庁につとめていたが、そこはくびになった。それからは、刑務所という役所のなかで働いていた」

「そこもやっとくびになり、こうして外へ出てきたというわけだ」

とりつくしまのない答えだった。庄造は首をかしげた。刑務所から出てきたと言っている。それにしても、なんでここへやってきたのだろう。

密告をしたり、犯人逮捕に協力した覚えはない。だから、お礼まいりに来られる筋合いはない。ずっと売り食いをしているありさまだから、他人の商売をじゃましたこともない。また、個人的にうらみを買った記憶もない。

となると、単なる強盗としか考えられない。庄造はさとすような口調で言った。

「老人のひとり暮しと知って、簡単だろうと思って狙《ねら》ったのだろう。ところが、計算ちがいだよ。ごらんの通り、なにもない。帰ってください」

しかし、二人組はとりあわなかった。彼らは顔をみあわせて話しあった。

「おい聞いたか。じいさんが、なにか理屈をこねているぜ。愉快な話だ。ひとを強盗よばわりしているぞ」

「失礼なやつだな。気が短いのかな。頭が悪いのかもしれない。まったく、兄貴の言う通り、こいつはお笑い草だ」

「おい、じいさん。いっしょに笑わないか」

とても笑うどころではない。死をじゃまされ、理由もなくあがりこみ、いっしょに笑えとは、なんたることだ。

庄造は少し腹を立て、意地になってさえぎろうとしたが、一人に強くなぐられた。庄造は倒れ、しばらくは身動きをしなかった。手むかえばこじれる一方らしいと悟ったせいもあったし、神経痛のせいもあった。

「じいさん、のびちゃったぜ。死んだのではないだろうな」

「いや、気を失っただけのようだ。ちょうどいい、早く仕事にかかろう」

庄造はじっと横になったまま、そっとようすをうかがった。家主から追立てをうけおった暴力団だろうか。それにしては、問題を少しも口にしない。第一、持ってきたシャベルはなんのためだ。仕事とか言っているが、なんのことだろう。

二人の男は、畳をあげにかかった。庄造が毎晩、自分のふとんを敷く場所だ。二人は畳をあげると、こんどは床板をはがし、それから、その下の地面を掘りはじめた。目的のわからなかったシャベルも、その効能を発揮しはじめた。

しかし、これは正気のさただろうか。庄造は身を起し、理由をたずねたい衝動にかられた。だが、ためらっているうちに、作業をしながらの二人の会話から、事態が少しずつわかりかけてきた。

「まだ埋まっているだろうな」

「大丈夫だ。だれかが手をつけたような形跡はない。こんな場所を、理由もなく掘ろうとする物好きはないよ」

「そうだな。それに、この家をおれたちが秘密のかくれ家に使っていたのを、知っている者もないはずだ……」

この二人の男は、かつてある官庁につとめていた。そこで収賄《しゅうわい》をし、また公金を横領し、せっせと金をためこんだ。二人の熱意とチーム・ワークのため、それは能率的にはかどった。

なまじっかな強盗や詐欺《さぎ》は、危険も多いし、手にしうる金だって知れている。その気になって腹をすえてかかるのなら、権限のある役職についたほうが、はるかに割りがいいものらしい。

しばらくは発覚しなかった。なぜなら、派手に乱費をしなかったからだ。また、二人が巧妙にかばいあったせいもあった。二人は地味に生活し、ひたすら貯金をした。といって、銀行へ預けたのでなく、現金のまま特大の貯金箱におさめた。それを、逮捕される直前に、ここの地下に埋めたのだった。

かくした場所を、警察の取調べの時も、裁判の時も、二人は決してしゃべらなかった。しゃべるくらいなら、最初からやらないほうがいいにきまっている。

単独犯ならともかく、二人組となると、取調官の巧みな作戦で、たいていは口を割ってしまうものらしい。しかし、彼らの場合はちがっていた。二人は実の兄弟だったからだ。

なるほど、と庄造は思った。兄弟ならみごとなチーム・ワークも保てるし、分け前をめぐっての仲間割れもしにくいらしい。身よりのない自分をさびしく感じ、うらやましく思った。

作業は、はかどっているらしかった。

「まだか」

「もうすぐだ。ほら、安全装置がでてきた。用心のために埋めておいた、古雑誌をつめた石油缶だ。万一、だれかが掘ったとしても、ここであきらめるだろうとの計略で……」

石油缶が畳の上にほうりあげられた。

「早く手にしたいものだな。刑務所生活で罪のつぐないはすんだのだから、名実ともにおれたちの金だ。まさか、今晩、だれかにあとをつけられなかっただろうな」

「それは大丈夫だ。問題は、このじいさんのほうだよ」

「ほっといていいだろう。べつに、じいさんに被害を与えたわけじゃない。警察へ届けたとしても、なにがおこなわれたかの見当はつくまい。じいさんが必死に大事件と主張すればするほど、警官はもうろく老人の被害妄想《もうそう》と判断する。さぞ持てあますことだろうな」

「ちょっと傑作な喜劇だな。それを見物できないのは、いかにも残念だ」

「帰りがけに水でもぶっかけて、意識をとり戻させればいいだろう。ほっといて死なせては気の毒だ。おれたちの宝の番をしてくれたようなものだからな」

さらに作業は進んだらしく、興奮した声があがった。

「あった、あったぞ」

「よし、さあ、なかをあらためよう」

大きなプラスチック製の容器がでてきた。土を払い、ふたを取ると、高額紙幣がぎっしりとつまっている。

聞き耳をたてていた庄造も、ひとごとながら、胸をときめかせた。あのせいだったのだな、夢に時どき大金があらわれた原因は。

もちろん、二人組のほうが、その感激はさらに強い。

「とても落ち着いてはいられない。口のなかが、からからになった」

「おい、そこにウイスキーがある。ちょっといただこう」

「ああ、乾杯だ」

二人は机の上にあるびんを見つけ、手にとった。それを見て、庄造は痛みをこらえて立ちあがり、思わず声をかけた。

「やめてくれ。それはわたしのだ……」

べつにウイスキーが惜しいからではない。自殺をするために、毒薬をとかしてある酒だからだ。自分が死ねなくなってしまう。こんな所で二人に死なれたら、収拾がつかない。

　しかし、二人はとりあわなかった。

「おや、じいさん、お目ざめになったな。まあ、けちけちするなよ。代金のことなら心配するな。払ってやる」

「そうだ。おれたちは明日、前から計画していたヨーロッパ旅行に出発するのだ。乾杯ぐらい、させてくれよ」

「ヨーロッパって、どこにあるか知っているかい。遠い遠い西のほうにあるところだよ」

　二人は満足と期待とで、大笑いしつづけた。庄造は無理にでもとめようと、そばへ寄った。しかし、若い二人にはかなわない。またも突きとばされてしまった。

　さっきから何度もなぐられ、倒れ、おまけに神経痛だ。起きあがるのも一苦労だった。なんとか身を起した時は、すべて手おくれだった。

　二人は明日まで待つことなく、すでに西方の浄土へと旅立ってしまっていた。罪はつぐなってあるのだし、死にぎわがあんなに楽しそうだったのだから、極楽にたどりつくにちがいない。

あとに残された庄造は、呆然《ぼうぜん》とあたりをながめていた。びんを取りあげてみたが、悲しいことに中身はない。

これから、どうしたものだろう。さっきも二人が話していたが、警察だって、どこまで事態を信じてくれるかわからない。巻きぞえにされるかもしれないし、まかりまちがえば、殺人犯人に仕立てられないとも限らない。自殺するつもりだったと主張しても、この点は立証の方法がないではないか。

しばらくたつと、庄造はいくらか落ち着いた。冷静になると、常識的な唯一《ゆいいつ》の解決法を思いつけた。そして、それを実行した。

二つの死体と、あきびんとを穴に落し、土をかぶせた。その途中で、安全装置とやらの、古雑誌の缶を埋めた。床板をのせ、畳をもとにもどした。緊張のせいか、神経痛も気にならなかった。

すべては、もとのままになった。以前とちがう点といえば、かつては夢のなかの存在であった大金が、いまは手でさわれるということだ。庄造はそれに触れながら言った。

「気の毒なことをしてしまった。このままですむとは、思っていない。いずれは発覚し、逮捕されることだろう。それまで、どこで待つとしようか。そうだ。医者と温泉つきの豪華な高級老人ホームとやらがあるそうだから、そこへでも入り、二人の冥福《めいふく》を祈りながら待つとしよう。しかし、死体が発見され、なぞのとけるのが、わたしの生きているうちに間にあうだろうか」

金色のピン

ノックの音がした。

夏の夜の八時ごろ。だが、そう暑くはない。なぜなら、ここは高原地方にあるホテルの一室なのだから。

晴れた昼間であれば、窓のそとに広がるゴルフ場や、そのむこうの白樺《しらかば》の林や、さらに遠くの山々を眺めることができる。しかし、いまは夜であり、霧が出たらしく、そとには静かな暗さしかただよっていない。しめた窓ガラスの外側には、光を慕って集ってきた昆虫《こんちゅう》たちが、点々ととまっている。

部屋のなかには、二人の女性がいた。いずれも二十五歳で、まだ独身。ひとりは宮下由紀子。都会の資産家の娘であり、避暑のため、十日ほど前からここに滞在していた。いかにも育ちのよさそうな丸顔の女だが、わがままそうな感じもする。

もうひとりは、おとなしそうな容貌《ようぼう》の西野文江。由紀子とは学校時代に同級であり、それ以来の友人だった。文江は会社に勤めており、数日間の夏の休暇をとって、郷里へ帰る途中だった。そのついでに、由紀子から絵葉書で知らされていたこのホテルに立ち寄った。そして、熱心にひきとめられるのに逆らえず、予定を変えてここに一晩いっしょに泊り、帰省は明日にのばすことにしたのだった。

二人はさっきから、なんということもないが、なつかしさのこもったおしゃべりをつづけていた。

ノックの音はくりかえされた。どこか遠慮がちな響きだった。

「どなたなの」

と言って立ちあがりながら、由紀子は文江の顔を見た。しかし、もちろん文江に、心当りのあるわけがない。ドアのそとから声がかえってきた。

「となりの部屋の者ですが、ちょっとお願いが……」

年配の女の声だった。由紀子が鍵《かぎ》をはずしドアをあけると、そこに老婦人が立っていた。ロビーや廊下などで何回か会っており、由紀子も顔だけは知っていた。主人には先立たれたが、そうみじめでもなく余生を楽しんでいる、といったようすの婦人だった。

「お願いって、なんですの」

と由紀子が聞くと、老婦人は恐縮したような身ぶりで口ごもった。

「とても、お願いできるような筋合いではないんでございますが……」

「うかがってみなければ、わかりませんわよ。どうぞ、おっしゃってみて……」

「じつは、あす帰ろうと思ったのですけど、ちょっとお金がたりなくなってしまいましたの。予約の時に、料金を聞きまちがえてしまったらしくて。連絡してお金を取り寄せるには、滞在をのばさなくてはなりません。それで、もしできましたら、この品を買っていただけないかと思いまして……」

言いにくそうな口調で話し、老婦人は手のひらをひろげた。その上にはピンが乗っていた。美しい金色をしていて、長さ八センチぐらい。鉛筆とマッチの中間ぐらいのふとさだった。丸い頭の部分から、とがった先端にかけて、こまかい彫刻が一面にほどこされている。

「あら、なんだか面白そうな品ですわね。ちょっと、拝見させていただくわ」

由紀子はそれを受け取り、部屋の中央にもどって、電灯の下の明るさでよく観察した。さびは見あたらず、また重さからみても、金がけっこう含まれているようだ。しかし、そんなことよりも、彼女の興味をひいたのは、彫刻された模様の異国的な雰囲気だった。

文江もそれをのぞきこみながら、小声でささやいた。

「およしなさいよ。まがいものかもしれないわ。由紀子さん、あなた、お金持ちに見られちゃってるのよ」

しかし、由紀子はその忠告を聞き入れようともせず、ドアのところにたたずんでいる老婦人に声をかけた。

「いかほど、ごいりようですの」

答えがあり、由紀子は机の上のハンドバッグから、むぞうさに高額紙幣三枚を出した。彼女は浪費癖の持ち主というわけではなかった。だが、気に入って欲しいとなると、それを押えきれなくなる性格だった。彼女は札を二つに折り、手渡した。

「はい」

「ありがとうございました。おかげで助かりました。とんでもないご迷惑を、おかけしてしまって……」

ほっとした表情でお礼の言葉をくりかえす老婦人を、由紀子はさえぎった。

「そんなにまで、おっしゃらなくていいんですわ。だけど、このピン、なんに使うものなのかしら」

「お礼の意味で、そのお話をいたしましょう。あたしが若かったころ。ですから、ずいぶん昔のことですわ。ヨーロッパ旅行をした時、ジプシーから買ったものですの。魔力がそなわっているとか説明されて……」

「お話のほうも面白そうね。で、どんな魔力ですの」

「ひとを呼び寄せる力です。そのピンを床の上にさし、それに糸を結び、糸のもう一方のはじにはカブト虫を結びつけます。そして、呼び寄せたい人の名を告げるのです」

「それから、どうなるの。問題の相手は、いつ現れるのかしら」

「カブト虫が床の上をはいまわるにつれ、糸がピンに巻きつき、虫はピンに近づきます。糸がすべて巻きついた時にです」

「なんとなく、神秘的な物語りですわね。でも、そんなにすばらしい力のあるピンなら、手放す気持ちにはならないんじゃないかと思うんだけど」

由紀子はちょっと意地の悪い質問をしたが、老婦人はこう答えた。

「持ち主ひとりに、一回きりしか使えないのです」

「本当にききめがあるのかしら」

「さあ、それは、なんとも申しあげられません。でも、あたしの場合はございましたよ……」

老婦人はまた感謝の言葉をくりかえしてから、静かに自分の部屋に帰っていった。

そのあと、二人はふたたび、おしゃべりにもどった。文江は批難するような口調で言った。

「変な物語りにのせられて、由紀子さん、とうとう買わされちゃったのね。あなたも人がいいわ」

「あら、買うときめたのは、あの話を聞かされる前よ。あたし、これを見たら、急に欲しくてたまらなくなっちゃったの。ごらんなさい。きれいじゃないの」

ピンは金色に輝き、なぞめいた空気をまわりにまとっているように見えた。古い時代、遠い国のにおいが、立ちのぼってくるようでもあった。文江はうなずいた。

「価値がありそうなことは、あたしもみとめるわ。だれかに売れば、いまのお金は回収できそうね。でも、その時は、いまの物語りをつけ加えなければだめよ」

「あのおばさん、本当にききめがあったと言ってたけど……」

「だれを呼び寄せたのか、聞いておけばよかったわね」

いまになって、文江は残念そうに言った。しかし、時計を見ると、少しおそすぎる。老婦人は支払いのめどがつき、安心してすでに眠ってしまったかもしれない。それを起すのも気の毒だ。

由紀子はあたりを見まわしていたが、窓のほうに目をとめ、思いついたように言った。

「やってみましょうよ。このピンの魔力が本当なのかどうかを……」

「由紀子さん、あなた信じてしまったの。どうせ、でたらめよ。だけど、ちょっと好奇心をくすぐられるわね。それで、だれを呼び寄せてみるつもりなの」

「そうだわ。曽根《そね》明男さんがいいわ。あなたも知っている人だし……」

由紀子の頭にこの名が浮かんだのは、ただの気まぐれからではなかった。彼女は一年ほど前に、ある会合で文江に紹介され、曽根と知りあいになった。彼は由紀子に熱をあげはじめたようだった。それから三回ほどデイトを重ねた。頭のいいスマートな青年で、彼女としても、いやな気はしなかったのだ。

それなのに、このところ、さっぱり音さたがない。仕事が忙しいのだろうか、ほかにガールフレンドを見つけたのだろうか。由紀子には、それがいくらか不満だった。といって、こっちから会いたいと連絡するのもしゃくだ。もし、ピンの力で呼び寄せることができれば、ちょっと愉快じゃないかな。このように考えたからだった。

「べつな人にしましょうよ」

と、文江はひかえめに反対したが、由紀子は思いとどまるようすを見せなかった。

「いいじゃないの。学校の時の先生を呼んで、もし現れたら持てあましちゃうわ。ほかに手ごろな人は、ないじゃないの。いまのおばさんじゃ、つまらないし、ありがたみもないわ。それに、名前も聞かなかったわ」

ピンを買ったのはあたしよ、と言いたげな口調だった。彼女は立ちあがって窓をあけ、ガラスのそとにとまっていた小さなカブト虫を一匹つかまえた。

「近くで見ると、気持ちが悪いわ。あたし、虫にさわるのきらいなのよ」

いざとなると、文江はしりごみした。だが、由紀子はこの試みに夢中だった。

「ねえ、糸を結びつけるのだけ手伝ってよ」

虫を自分で押え、文江にたのんで、カブト虫のツノに糸を結ばせた。糸の他端をピンに結び、それを床にさした。それから、老婦人の説明にあった通りにとなえた。

「さあ、あたしたちの知っている、曽根明男さんを呼び寄せておくれ」

逃げ出そうとするのか、カブト虫は床をはいはじめた。だが、ピンのまわりをまわるたびに、糸はピンに巻きつき、少しずつ中心に近づいていった。おそくなったり、早くなったりしながら。

そのうち、文江が言った。

「よしましょうよ。ばかばかしいじゃないの、こんなこと」

「あたしには面白いわ。文江さんはどうやら、ピンの魔力を信用してないっていうわけね」

「そうよ。常識で考えれば、ありえないじゃないの」

「それとも、あなた曽根さんがきらいなの」

「そんなことはないわ」

「それだったら、どっちにしても困ることはないじゃないの。あたし、ためしてみたくてならないのよ」

由紀子の目は光りをおびていた。理屈の点からも、感情の点からも、文江にはそれ以上の反対をすることはできなかった。文江は口をつぐんだ。

静かななかで、カブト虫の歩くかすかな音だけがつづいた。そして、ゆっくりとピンに近づいてくる。時間の流れにつれカブト虫が動き、カブト虫が動くにつれ、時間が流れていった。

由紀子の表情のうえで、好奇心が燃え方を高めていた。文江はそれを不安げに見まもっていたが、またも言った。

「本当にこれを、最後までやってみるつもりなの」

「そうよ。ここまできて、やめることはない。ほら、もう少しじゃないの」

カブト虫は、ピンに触れそうなまでに近くなった。

その時、ドアにノックの音がした。

二人は思わず顔をみつめあった。由紀子の目は期待でさらに輝き、床にさしてある金色のピンの頭のようだった。

文江の顔は青ざめていた。血がどこへともなく蒸発してしまいでもしたようだった。とつぜん、文江はひきつったような声をあげた。ピンの先端のような、鋭い金属的な声を。

「やめて……」

そして、ハンケチでカブト虫の動くのを押えた。由紀子はその声に驚いて聞いた。

「どうなさったのよ」

「曽根さんは来ないのよ。来るはずがないのよ」

ドアでは、またノックの音がした。ゆっくりした、弱々しい音だった。

「でも、だれか、たずねてきたじゃないの。それなのに、なぜ、来ないっておっしゃるのよ」

「死んだからよ」

「あら、そんなうわさは聞いてないわ。文江さんだって、いままで、そんなお話をなさらなかったじゃないの」

ノックの音は、あけてくれとうながす響きをたてていた。文江は目をひきつらせ、ふるえ、表情が凍りついていた。しかし、口だけは勝手にしゃべりつづけていた。

「あたしが殺したの。あのひと、あたしを愛しておきながら、あなたと知りあうと、あなたのほうに心を移してしまったのよ。ひどいじゃないの。ひどすぎるわ。それで、あたし半年ほど前に、いっしょに山へ出かけた時、毒をのませて……」

悲鳴のようにわめきつづけ、文江は立ちあがった。カブト虫は手ににぎられていて、それにつながっている糸で金色のピンは床から抜けた。彼女は窓を開き、濃い夜の霧の奥に投げ捨てた。

ひとしきりつづいた文江の泣き声が絶えると、室内には恐ろしいまでの静かさがもどる。もはや、ノックの音はせず、ドアのそとにだれかいそうなけはいもない……。

和解の神

ノックの音がした。

ここは旅館の一室。海岸ぞいにあり、温泉地としても有名だ。窓からは夕ぐれの海が見わたせる。また、たくさんの旅館やホテルにともりはじめた、灯やネオンの輝きも美しくながめられた。静かにひろがる海との対照のためか、人間くさい華やかさを特に感じさせる光景だ。

この部屋のつくりは日本風だ。しかし、洋風の長所も採用されていて、鍵《かぎ》のかかるドアがついている。ノックの音はその上に響いた。

部屋のなかには、ひとりの男が落ち着かぬようすですわっていた。そとを眺めようともせず、腕時計ばかり気にしている。机の上の灰皿には、まだ長いタバコの吸殻が、すでに何本もたまっている。

男はずっと、ノックの音を待っていたのだ。胸をときめかせ、心の底から、その音を待っていた。だから、約束の時間には早すぎるとは思ったが、反射的に目を輝かせ、うれしそうな声で言った。

「どうぞ」

しかし、それに応じて入ってきたのは、男の待っている相手ではなかった。この部屋の担当の女性だった。

「失礼いたします」

「なんですか」

と、がっかりした表情になった男へ、女は用紙をさし出しながら言った。

「宿帳の記入をお願いしたいのですが……」

男はそれを受け取り、ためらうことなく書きこんだ。

安井　隆二　　三十二歳
妻　佐知子　　二十七歳
「これでいいかね」

「けっこうでございます。で、お連れさまは……」

「まもなく来ることになっている。八時の予定だ」

「なにか、お飲み物でもお持ちいたしましょうか」

「いや、あとにするよ」

隆二が断わると、彼女は灰皿をかえたり、部屋のすみの浴衣《ゆかた》をあらためたりした。彼はそれをぼんやり見ながら考えた。宿帳への記入を、そのまま受け取ってくれただろうか、と。女の表情には関心や好奇心といったものはなく、事務的なものだった。宿泊業の関係者にとっては、客がどう自称しようが、よくあることで、どうでもいいことなのだろう。いくらかのチップを渡した。

彼女は頭をさげ、部屋から出ていった。隆二はそれを呼びとめて「名前も、関係も、年齢も、すべて本当なんだぜ」と、話しかけたい衝動を感じた。人目を忍ぶ、いかがわしい旅行者でないことを、強調してみたかったのだ。しかし、それは思いとどまった。相手はべつになんとも感じないだろうし、かえって妙に思われるのがおちだ。

隆二はここで、妻の佐知子を待っていた。しかし週末を利用した奥さまサービスといった、ありふれたものではなかった。彼女に会うのは、これが二カ月ぶりということになる。二カ月前に、佐知子は家を出ていった。

隆二を見限って出ていったのでも、ほかに好きな男ができたからでもない。ちょっとした口論がこじれ、隆二が「出て行け」と追い出してしまったのだ。

原因として、性格の根本的なずれや、おたがいに許しがたい不貞な行為があったわけではない。夫妻は長い恋愛のうえで結婚したのだし、共ばたらきで、よりよい生活を築こうと努力しあってきた。

二人は愛しあっていたし、性格も一致していた。いや、一致しすぎていたともいえる。そこが問題だった。強情な点でも共通していたのだから。

隆二はある生産会社につとめ、佐知子は貿易会社につとめていた。そして、彼女のボーナスの額が、彼のより少し多かったことが、いさかいの直接の原因となった。しかし、家庭内のいざこざというものは、原因などどうでもいい。重大なのは、その発展の経過といえる。二人の場合も、使いみちをめぐっての意見の相違という論点はどこかへいってしまい、対立という結果だけが残った。

「だいたい、おまえは生意気だよ」

と、あげくのはてに隆二が興奮して言い、佐知子が応じた。

「あなたこそ、生意気よ」

「それなら、出ていったらどうだ。おまえが反省し、あやまるまで家へ入れない」

「ええ、出ていくわよ。あなたがあやまるまで、帰ってこないわよ」

すべては行きがかりだった。おたがいに、相手があやまるだろうと期待し、自分はゆずろうとしなかった。普通なら、なんとかおさまるところだが、二人はあくまで性格が一致していた。

かくして、佐知子は出て行き、隆二は引きとめなかった。

たちまち隆二は、後悔を味わった。ひとりきりの生活になると、自分にとって佐知子がいかに必要な存在であり、彼女をいかに愛していたかを痛切に思い知らされた。鏡に自分の顔がうつらなくなったような、空虚な感じだった。

こうなってしまった事態を、どう解決したものか、隆二の頭にはいい方法が浮かばなかった。彼は自分のおろかさ、また不器用さにいや気がさした。

もちろん、すぐに出かけていって、あやまればすむことはわかっている。しかし、その簡単なことが彼にはできなかった。できるくらいなら、あの時に和解してしまっているはずだ。さきに頭をさげることができない性格を、まったく持てあました形だった。

おそらく、佐知子のほうも同様なのだろう。いくら待っても、折れてこない。

彼は思いあまって、友人と酒を飲んだ時に、それとなく助言を求めてみた。しかし「自分で始末しろよ」とか「さっさと、あやまってしまえ」とかの、ありふれた意見ばかりだった。他人の家庭内の問題に口を入れ、抜きさしならなくなるのを警戒しているのかもしれない。

隆二はなすところなく、悶々《もんもん》とした日々を過した。いや、なすところなくではない。彼なりのことをやった。妻が戻ってくれるよう、心のなかで祈りつづけたのだ。われながら無器用なことだと思い、あまり効果を期待しなかった。

しかし、奇跡が訪れてきた。佐知子からの手紙が届いたのだ。

こんなことを回想しながら、隆二は服のポケットからその手紙を出し、読みなおしはじめた。なつかしい佐知子の筆跡であり、その内容も、彼の心に食い入るようなものだった。いまさら読みなおすまでもなく、彼はその内容を暗記してしまっている。

自分の至らなさを、くりかえしてわび、新婚旅行でとまった旅館の、同じ部屋でお会いしましょうと提案してあった。おいやならかまいません、あたしは必ずまいります、と追記してある。

隆二はそれを読んでおどりあがり、引き寄せられるような気持ちで、この旅館にやってきた。その指定の日がきょうであり、部屋はここ。そして時間は……。

隆二はまた腕時計をのぞいた。そろそろ八時、約束の時間だ。彼は早くから来て待っていたのだ。むこうから先にあやまってきたのだから、こっちでも、早く来ることで誠意を示そう。待ったのは一時間ぐらいだが、彼にはずいぶん長く感じられた。考えてみれば、正確には二カ月も待った瞬間なのだから。

ドアにノックの音がした。

なつかしい、愛情のこもった響きだった。隆二の動悸《どうき》は高まり、すぐには声が出なかった。しかし、努力してしぼり出した。

「どうぞ……」

ドアが開き、佐知子が入ってきた。なつかしい、愛情にみちた姿だった。彼女は後手にドアをしめ、彼をみとめ、まっすぐ見つめながら言いかけた。

「あの、あたし……」

「そのさきは、言わなくてもいいよ。ぼくも悪かったんだ。いや、ぼくのほうが悪かったんだ……」

隆二は一息にしゃべりつづけた。待っているあいだに、気のきいた文句を考えたつもりだったが、口から出るのは、たわいない言葉だった。佐知子はそばへきてすわり、ほっとしたように問いかけた。

「それじゃあ、これから、またいっしょに暮せるのね」

「そうだとも。この思い出の部屋から、あらためて出発しなおそう。……で、おなかはすいていないかい」

「ぺこぺこよ」

佐知子は笑った。隆二は電話で命じ、食事と酒とを運ばせた。給仕はけっこうと断わり、それは佐知子が自分でやった。

少しはなれた海岸からは波の音が伝わってくるし、どこからともなく、温泉のかおりがただよってくる……。

なにもかも、新婚の時と同じだった。もちろん、それにつづく夜も……。

朝がしのび寄ってきた。海のかなたから昇った陽は、部屋のなかに明るい光線を送りこんでいる。

みちたりた眠りから、どちらからともなく目ざめ、どちらからともなく声をかけあった。

「いいお天気のようだな」

「ええ。みんな新婚の時と同じね。あの朝もいい天気だったわ」

「ああ、もう二度と、こんなことはしないようにしよう。ぼくもつくづく反省したよ」

「ねえ……」

と佐知子がなにか言いかけてやめ、隆二はうながした。

「なにか言いたいことがあるのかい」

「ええ。あなたって、本当にすばらしいかたね。見なおしたわ。あたしがさびしさにたえきれなくなった時、こんな提案をして下さるなんて。にくらしいほどのアイデアね」

隆二は聞きとがめた。

「いったい、どういう意味なんだい、それは」

「もう一回この部屋へとまろうという手紙をいただいた時は、あたし、うれしくて涙が出たわ」

彼は、身をおこしながら言った。

「その手紙を見せてくれないか」

「ええ。だけど、なぜなの。ご自分の手紙を読みなおそうなんて……」

佐知子は枕《まくら》もとのハンドバッグをあけ、手紙を出して彼に渡した。隆二は目を走らせた。自分の強情さをわび、この部屋で会おうという内容だった。彼は首をかしげながらつぶやいた。

「よく似た字だが、ちょっとちがうな」

「どういうことなのよ、それ」

「ぼくが書いたのじゃないってことさ」

「変なこと、おっしゃらないでよ。あなたのお手紙じゃないとしたら、あなたがここにいるわけがないじゃないの」

「いや、ぼくにも手紙が来たんだ。ほら」

隆二は立ちあがり、服のポケットから問題の手紙を出してきた。佐知子は眺めながら言った。

「ほんとだわ。あたしそっくりの字ね」

「となると、この二通の手紙はだれが出したものだろう」

二人は顔を見あわせた。

「あたし、あなたがお書きになったものとばかり思っていたわ」

「まったく心当りがないな。ぼくの友人とも思えない。きみの字や文章を、こんなにまねられる者はないからな。もしかしたら……」

「もしかしたら、だれなの……」

彼女は気づかわしげに聞き、彼は答えた。

「神さまじゃないかと思ったのさ」

祈りがかなえられたから、との説明は言いそびれた。

「まさか……」

「しかし、こんな適切なアイデアを考えつき、実行してくれるような気のきいたやつは、ぼくの友人にはいない。きみの友人にはどうだい」

「やっぱりいないわ」

「しかし、神秘的だな。だれかに見つめられてでもいる気分だ」

「それはそうね。でも、温かく見まもられているようじゃないの」

「ああ、いやな気分ではない。それとも、このなぞをとくため、もう一回けんかをしてみようか」

「いやよ」

佐知子は頭を振り、隆二も同感だった。やがて、彼は言った。

「どうだい。朝食の前に、新婚旅行の時と同じに、海岸の波うちぎわまで行ってみようか。そこで、このだれからともわからない手紙を、海に流してしまおう」

「いいわ。でも、ちょっと待っててね。顔をなおすから」

佐知子は鏡台にむかい、簡単に化粧をととのえた。そして、鏡のなかの自分に笑いかけた。心のなかで、こうつぶやきながら。

「作戦はうまく成功したわ。あとになって、あたしのしわざとわかると大変だけど、海へ流してしまえば大丈夫だわ。あたしだって、さきにあやまったという実績を残すのはいやよ。でも、このままじゃしようがないから、こんな方法を考えたの。効果がありすぎて、神さままで出てきちゃったわ。でも、そこがあの人のいいところなんだわ。きまじめで、強情で。すぐにあやまるような男じゃあ、たよりなくてどうにもならないもの……」

計略と結果

ノックの音がした。

玄関の戸を勢いよくたたく音だった。眠っていた大友順三は、それで目をさました。枕《まくら》もとの電気スタンドをつける。時計の針は、午前一時をさしていた。

しかし、医者という看板をかかげている以上、知らん顔はできない。居留守をきめこんだことがわかると、あとで問題となる。そんな事態は、彼の望まぬことだった。

順三は四十歳。地方の小さな町に開業してから、五年ほどになる。人当りがいいので、評判はよかった。とくに繁盛《はんじょう》もしていないが、安定した生活がつづいている。ここは都会とちがって空気もいいし、人びとも尊敬してくれる。満足すべき日々だった。

「先生、お願いします」

ノックとともに、女の声がしている。なまりのない点からみると、この地方の住人ではない。都会からの旅行者かもしれない。

「はい、ちょっとお待ち下さい」

彼は鍵《かぎ》をはずした。二十五歳ぐらいの女が、カバンを片手に立っており、その肩に男がもたれている。男の顔は青ざめていて、敷石の上に血がぽとりとたれた。順三は診察室の電気をつけ、白衣をまとい、手を貸して台の上に横たえた。

「どうなさいました。自動車事故ですか」

「いいえ。猟銃が暴発しちゃったの。血がとまらないのよ」

横たえられた男は、痛そうにうめき声をたてるばかり。順三は首をかしげた。

「シーズン・オフのこんな時間に、なんで猟などを……」

「手入れをしていて……」

女はしどろもどろな答えをした。順三は不審に思いはしたが、傷を調べるほうが先決だった。負傷は足のふくらはぎの部分。触れるとひどく痛がる点から、骨に及んでいる可能性もあった。

「ひどい傷のようですね。とりあえず、消毒と止血をいたします。しかし、看板でごらんのように、わたしの専門は内科です。慎重を期して、となりの町の外科にすぐ運びましょう」

だが、重傷の男は首を振り、女は言った。

「ここでお願いするわ。傷の手当てぐらい、おできになるはずよ」

「いや。簡単な傷ならともかく、重傷です。無責任なことは許されません」

「だめ。ここで、できる限りのことをするのよ」

女は興奮した、押しつけるような口調になった。順三はとまどって言った。

「いったい、なぜです。患者のためを思えばこそ、申しあげているのですよ」

「ここにいるほうが、本人のためなのよ」

女はその説明をするかわりに、横たわっている男のポケットからなにかを取り出し、順三につきつけた。拳銃《けんじゅう》だった。

「なんのまねです」

「まねじゃないわ。本物よ。本気なのよ。さあ、早く……」

さからわないほうが賢明なようだ。これ以上の質問をすると、ろくなことになりそうにない。変にかかりあいになって、平穏な暮しをこわされてはたまらない。

順三はおとなしく治療にとりかかった。止血をし、消毒をし、局所麻酔の注射をした。それがききはじめ、男のうめきは少しおさまった。つぎに、弾丸を取り出しにかかった……。

その時、部屋のすみの電話が鳴りだした。

どこかで急病人かな。順三は女に声をかけた。

「ちょっと、その電話を聞いて下さい」

だが、女は拳銃をにぎったまま言った。

「だめ、先生が出るのよ。よけいなことは言わず、なにごともありません、とだけ答えるのよ」

やれやれ、容易ならざる局面のようだ。順三は手をふり、鳴りつづけている電話機をとった。女はそばへ寄り、双方の会話を聞きとろうとしている。

「はい、なんでしょうか」

「こちらは警察ですが……」

電話の相手は、顔みしりである警官の聞きおぼえのある声だった。

「こんなに夜おそく、だれか急病ですか」

「いや、ご注意です。一時間ほど前に強盗事件発生と、隣接の署から連絡がありました。男は金を奪ったあと、パトロール警官に発見され、発砲されました。負傷したま、女の運転する車で逃走しました。その男の服装と、大体の人相は……」

それを聞きながら、順三は横目で患者をながめた。ほぼ一致している。おそらく、その犯人なのだろう。なぜなら、女の手の銃口が、彼の胸をつっついて念を押している。こうなると、当りさわりのないことしか言えない。

「それで……」

「この方角にむかう可能性もあるらしいので、いちおう、各病院に警告中なのです。そちらは大丈夫ですか」

「ええ……」

ほかに答えようがない。順三は腹をたてた。まぬけな警官め。こんな場合、どうすればいいのだ。そばにいますとでも、答えろというのか。

「来客に注意し、少しでも怪しかったらドアをあけず、すぐ連絡して下さい」

「わかりました」

と順三は、ぶっきらぼうに電話を切った。まったく、まぬけきわまる警官だ。これでもう、外部へ救援を求める方法は絶えた。警察は義務を果したことになり、二度と電話はかけてこないだろう。こっちからかけることは、もちろん不可能だ。

「さあ、手当てをつづけてちょうだい」

女は拳銃でさしずをした。男の情婦かなにかなのだろうか。いや、男のほうが子分かもしれない。美人ではあるが、冷たい表情で、目に鋭さがある。拳銃のかわりに花束を持たせても、この感じはやわらぎそうにない。

順三は言われたとおり、弾丸を取り出しにかかった。いまの電話で事情はわかった。しかし、同時に悪化もした。こうなると、おいそれと見のがしてくれないだろう。手当てがすんだからといって、おとなしく帰りそうにない。

この状態から抜け出す方法を、順三は考えつこうと努めた。重傷ではあるが、死ぬ心配はなさそうだった。だが、この二人はそれを知っていない。そこを利用して……。

順三はむずかしそうな顔をし、つぶやくように言った。

「このままではいけない……」

計画どおり、女が聞きとがめてくれた。

「どうなの」

「出血がひどすぎた。脈が弱っている。輸血が必要なのです」

「じゃあ、やってよ。早く」

「ここには血液の用意がありません。となり町の外科医まで行かないと……」

女は黙り、手をひたいに当てた。明らかに困っているらしい。男を見殺しにはできず、逃走をあきらめるだろう。順三は内心で喜んだ。

「なんとか、方法はないの」

「まさか、わたしの血を移すことはできないでしょう。あなたの血が使えるかどうか、血液型を調べてみましょうか」

順三はさらに返答をうながした。

「どれくらいの血があればいいの」

「相当量が必要です。採血できる限度の、ぎりぎりまでやってみましょう」

順三はいい気持ちだった。真相を知らない相手をからかうのは、楽しいことだ。

横たわった男は、この会話を聞き、暗示にかかったように弱音を吐いた。

「助けてくれ。死にたくない。つかまってもいいから、輸血をしてくれ」

かぼそい声で、女と順三に訴えた。順三はそしらぬ顔をし、女は決断に迷いつづけた。このままでは男が助からないし、自分の血を提供したら、このように青ざめ、ぐったりとするのだ。

「さあ、冷静な判断をなさって下さい」

順三は、またもうながした。女は男をみつめ、それから、さっき持ってきたカバンをながめた。そして、冷静な答えをした。だが、それは順三が期待したものではなかった。

「このままでだめなら、しかたがないわ」

「どうなさいます」

「お金の入ったカバンを持って、あたしだけ逃げることにするわ」

男は身を起しかけ、なにか言いかけたが、あきらめた。動けば命にかかわると心配したのだろう。また、無理に引きとめようにも、拳銃は女の手に移っているのだ。

思いがけぬ答えに、順三も驚いた。しかし、それでもいい。ぶっそうな凶器が出ていってくれれば、ほっとできるというわけだ。

「では、早く逃げて下さい。患者はわたしが車で運ぶことにしましょう」

「そうはいかないわ。先生が、どうせ黙っているわけがないでしょ。警察に連絡されたら、たまらないわ。先生はあたしといっしょに行くのよ。非常線を突破して、安全な所にたどりつくまでの人質よ」

「それはひどい。患者はどうするのです」

「どうなってもいいわ。あたしはお金と自分のほうが大切なの」

それを聞いた男は、力をふりしぼって裏切りを怒り、効果がないと知って哀願もした。しかし、冷静を通り越して冷酷になってしまった女と、手の拳銃に対しては、なすすべもない。女は順三に命じた。

「そうときまったら、すぐ出発よ。さあ」

計画で予期したことと、まったく逆な結果になってしまった。順三はがっかりし、恐怖をおぼえた。利己と残酷の世界に踏切ってしまった女だ。どこまで連れて行かれ、あげくはどうされるのか、想像もつかない。

さっきまでの状態のほうが、まだしもよかった。といって、いまさら訂正しても、信じてはくれないだろう。もはや、作戦を立てなおすこともできない。

なにか名案はないだろうか。順三は手を洗ったり白衣をぬぐ動作をゆっくりとやり、時をかせいだ。だが、少しぐらい引きのばしたとしても、救助のあてはなく、打開策が浮かんできそうにない。

女は拳銃を片手にカバンをかかえ、いらいらした表情になっている。飛びかかろうにも、逃げようにも、すきがない。


とつぜん、玄関にノックの音がした。

女はびくりとし、順三に命じた。

「戸をあけず、だれであろうと、適当に帰ってもらうのよ。もし、なかへ入れでもしたら……」

拳銃が動いた。追いつめられて、必死になっている女だ。うたないとは保証できない。順三はうなずき、外の客に言った。

「どなたでしょう」

「警察です」

「ああ、さっきの逃走犯人のことですね。それでしたら、ここは大丈夫です。ごくろうさまです」

こんな程度しか口にできない。しかし、外の声はさらに言った。

「なにをのんきなことを言う。大友順三、おまえを逮捕に来たのだ。無資格の医者の容疑だ」

「しかし、そんなことは……」

「言いぶんがあるのなら、署に来てからにしてくれ。あけないと、無理にでも入るぞ」

「待って下さい。いま、服を着かえますから……」

順三は言葉をとぎらせ、女を見た。女は小声で聞いた。

「あれは本当なの」

順三は力なくうなずいた。

「ああ、十年ほど前に麻薬を不法に使い、免許を取りあげられた。しかし、巧妙に書類を偽造し、保健所をごまかし、ここで開業した。普通の医者以上にあいそよくし、信用も得て、万事うまくいっていたのに。なぜ、いまごろになって発覚したのか、わけがわからない。ああ、すべて終りだ……」

彼はぐったりとし、青ざめた。台に横たわる重傷の男よりも、衰弱した外観だった。女はそのようすを見て観念した。いずれにせよ、警官の入ってくるのは防げない。また、もぐり医者という犯罪者では、人質の役に立たない。

「もう、だめのようね。あきらめるわ。いいようにしてちょうだい」

順三は戸をあけた。三名ほどの警官が入ってきて、女をつかまえ、拳銃とカバンとを取りあげた。また、横たわる男の人相と服を確認し、うなずきあった。それから、警官の一人は、順三の肩をたたきながら言った。

「ご無事でけっこうでした。ほっとなさったでしょう。どうです」

「はあ……」

と、順三は呆然《ぼうぜん》とため息をついた。もぐり医者がばれて、ほっとしたもないではないか。だが、警官は楽しそうだった。

「さっきの電話の応対で、すぐにわかりましたよ。いつもあいそのいい先生が、いやにそっけない言葉だった。わたしには、ぴんときましたよ。念のために来て調べてみると、玄関のそとに血がたれている」

「………」

「しかし、凶器を持った、追いつめられた犯人といっしょです。飛びこんでは危いと思って、芝居をしたわけですよ。警察も、それほどのばかではありません」

「芝居だったのか……」

「もっとも、先生がうまく口を合せて下さったおかげもあります。危いところでした……」

そんな会話を聞き、女はだまされたと知って歯ぎしりしていた。だが、やがて感心したように、つぶやいた。

「芝居にしては、うますぎたわ……」

順三は心のなかで舌打ちし、後悔した。とんでもないことになった。女め、よけいなことをしゃべりやがる。この警官は、言葉に対して、すぐぴんと感じる性格らしい。念のために調べてみることも好きらしい。警察も、それほどのばかではないそうだ。

これで、一難は去ったというものの……。

職務

ノックの音がした。

ここは港の近くにある、小さなビルの警備員室。壁の時計は夜の九時を示していた。部屋のなかは殺風景なものだった。簡単な机と椅子《いす》、そのほかには、とくに人目をひくようなものはない。

この部屋にはドアが二つあった。その一つは、いまノックの音をたてた外の道路に面したドア。もう一つは、ビルの廊下へのドアだ。夕方の退社時刻がすぎると、正面の出入口にはシャッターがおろされ、この部屋を通用口として利用する以外に、ビルへの出入はできなくなる。

夜のこのビルには、警備員である白井五郎ひとりしかいなくなるのだった。彼は二十五歳。そう大男ではないが、筋肉の発達したからだの持ち主だった。

時どきビルの内部を見まわり、警報機を点検したり、火気を調べたりする。あとは、朝までここで番をしていればいい。容易な仕事ともいえるが、それは平穏であればのことだ。怪しい人物が押入ってきたら、身をもって防がなければならない。

非常の際に逃げ出すようでは、その担当者としての価値はない。だれもいないのと同じことではないか。もっとも、いままでそんな事件に直面したことはなかったが……。

五郎は朝までの時間を、小型ラジオに耳を傾けたり、本を読んだり、時には体操をしたりしてすごす。

しかし、いまは壁にむかってナイフを投げていた。ひまをみて毎日くりかえしているため、だいぶ上達してきた。テープでつけた、板に描いた的に、五本のうち四本の割で命中する。もちろん、彼はこの能力を悪用しようとは思っていない。万一の際に、身を守りビルを守るためを考えてのことだった。

壁にぶつかるナイフの音で、五郎は最初のノックを聞きもらした。しかし、ふたたびノックの音がし、彼はやっとそれに気づいた。

「だれだろう、いまごろ……」

彼はつぶやき、壁にささった数本のナイフを抜き、机の引出しにしまった。そして、一本だけ手のひらにかくし、油断なく声をかけた。

「どなたです」

こんな時間に訪れる者の心当りはない。だが、ドアの外で女の声が答えた。

「あたしよ。ラ・メールの明子」

それを聞いて、五郎は緊張をゆるめ、手のナイフをポケットにしまった。〝ラ・メール〟とは、ここから少し先にある喫茶店、明子とはそこで働いている十九歳の女の子だ。五郎も時たま寄るので顔みしりだった。その声にまちがいない。

彼は鍵《かぎ》をはずした。明子が若い笑い声とともに部屋に入ってきた。飾りのない室内とは、いささかそぐわない感じだ。利口そうな表情の女で、五郎も内心では好意を抱いていた。彼は浮き浮きした口調で話しかけた。

「いらっしゃい。で、なにか用かい」

「五郎さん、いつかいってたじゃないの。夜はこの部屋にいて退屈だから、寄ってみないかって……」

「退屈な仕事のことはたしかだが、そんなことを話したっけかな」

「あら、忘れちゃってるのね。あたし、いまお店が終ったとこ。海ぞいの公園でも散歩してみたくなったんだけど、ひとりじゃ危険だし、それに、みっともないわ。それで、さそいに寄ってみたのよ。海にうつるお船の灯でも眺めに出かけない……」

だが、五郎は残念そうに答えた。

「さそってもらったのはうれしいし、出かけたいのはやまやまだが、そうはいかないんだ。ビルの見張りが、おれの仕事なんだから」

「でも、ちょっとぐらいなら大丈夫じゃないの」

「その、ちょっとのあいだに、なにかが起ってみろ、くびにされてしまう。おれは、この職を失いたくないんだよ」

「収入がいいの」

「ああ……」

五郎はうなずいた。たしかに給料は悪くない額であり、会社は景気がよく倒産のおそれもない。とくに学歴があるわけでもない彼を、ここの社長は信用して使ってくれている。そればかりか、勤務ぶりによっては、いずれはもっと重要な仕事に昇進させるとも約束してくれた。徹底した実力主義が、社の根本方針らしかった。

前途に希望がある。だからこそ、任務はおろそかにできないし、いざという時は、からだを張ってもつくすつもりなのだ。

「それじゃ、しようがないわね」

明子は戸口に立ったまま、あきらめたような、心残りのような口調で言った。しかし、五郎は彼女を、このまま帰したくなかった。そこで、すすめてみた。

「どうだい。コーヒーでも飲んでいかないか。ラ・メールほどうまくはいれられないかもしれないが」

「ありがとう、いただくわ」

明子はうなずき、そばの椅子にかけた。五郎はパーコレーターをセットした。眠気ざましのために、ここに用意してある。コーヒーのできるのを待つあいだ、明子はおしゃべりをつづけた。

「ここの社長さん、なんのお仕事をしているの」

「貿易さ」

「それは知ってるけど、なんの貿易なの」

「くわしくは知らないよ」

「お店へ来るお客さんのうわさだと、商売にかけては、ずいぶんやり手だそうね」

「そうらしい。しかし、おれの現在の仕事は、命令どおり、このビルを守ることだ。会社の内容については、いずれ昇進でもしたら勉強することにするよ」

「好奇心を起して、夜中に社長室を調べてみようなんて気にはならないの。なにか、金もうけの種になるようなことが、あるかもしれないじゃないの」

「とんでもない。そんなことをしそうもないと見こまれたからこそ、おれはここで働いていられるんだ。秘密書類でも盗み読みすれば、よその会社に売れるかもしれない。だけど、社長は注意深い男だから、いずればばれるだろう。そんなことになるよりも、いまの仕事を忠実にやっていたほうがいい」

「えらいのね……」

明子は尊敬したようすだった。やがてコーヒーがわき、二人はそれを口にした。五郎は楽しい気持ちだった。収入がいいとはいえ、話相手のない、孤独で単調な仕事だ。それが思いがけなく、今夜はこんなふうにすごせるのだ。

そのうち、明子は壁の板を目にした。そして、ふしぎそうに聞いた。

「なんなの、あれ。おまじないのようね」

「そうじゃないよ。ナイフ投げの的さ」

五郎は自分のいいところを示したくなり、ポケットからナイフを出して投げた。それは見事に命中してくれた。明子は目を丸くし、ちょっと首をすくめた。

「すごいのね。でも、危いわ」

「これは、万一の時のためさ。ずいぶん練習したんだぜ」

彼は調子に乗り、引出しから残りのナイフを出し、つぎつぎと投げた。大部分が命中し、明子は感嘆の叫びをあげた。

「ほんとに、すごいわね」

その時、ドアが開き、また閉じた。静かな、だがすばやい開閉だった。そのけはいを感じた五郎が顔をむけると、ひとりの青年が立っている。手には刃物を持っていて、ぶきみに光っている。そして、低い声で言った。

「おとなしくしたほうが無事だぞ」

「いったい、どなたです」

と言いながら、五郎は後悔した。聞きただすまでもなく、まともな客ではない。思わぬ不覚をとってしまった。たえず気をくばってきたというのに、こんなになってしまうとは……。

ドアの鍵をかけ忘れていたし、そのうえ、ナイフも手もとにない。壁にかけ寄ろうとしたが、それもできなかった。明子が悲鳴をあげ、彼に抱きついてふるえていたからだ。

侵入者は言った。

「おれを社長室に案内しろ」

「しかし、金は金庫のなかだろうし、あけ方は知らない」

「いいから、社長室のドアの鍵をはずし、おれをなかに入れればいいのだ」

それを聞いて、五郎は想像した。金庫破りの才能を持つ相手なのかもしれない。それとも、あけ方の簡単なロッカーのなかの、取引きの書類か商品のサンプルがねらいなのだろうか。

しかし、いずれにせよ従うことはできない。あくまで防ぐのが仕事ではないか。五郎は断固として言った。

「いやだ。おことわりだ」

「そうはいかない。どうしてもやらせるぞ。さあ、そこの女は、そばをはなれていろ」

明子はおびえたように、五郎からはなれた。五郎は少し喜んだ。一対一なら、相手のすきをみて、刃物をもぎとれるだろう。腕にはいくらか自信もあった。そのためには、彼女が足手まといになっては困るのだ。明子を巻きぞえにしたくなかった。

しかし、事態はそう期待どおりに展開しなかった。侵入者の青年は五郎にむかわず、手をのばして明子を引き寄せたのだ。そして、首すじに刃物を押しつけた。

「さあ、これでもことわるつもりか」

「五郎さん、助けて」

またも明子は悲鳴をあげた。救援を求めるその声を聞き、五郎は進退に窮した。自分だけなら、あくまで抵抗してみせる。その自信もあった。しかし、彼女を見殺しにでもしたら、一生それを苦にしつづけることになるだろう。一方、社長のドライな命令も頭に浮かび、決心がつかなかった。

「どうするつもりだ」

相手は答えをうながした。どうやら、一枚うわてのようだ。ついに五郎は心をきめた。

「わかった。言うとおりにする」

「よし、そうこなくてはいかん。では、両手をうしろに回せ」

侵入者は明子に命じ、ひもでしばらせた。五郎は、明子が適当にやってくれないかな、と思った。

だが、それもだめだった。侵入者は明子にしばり方をさしずし、さらに自分で点検した。反撃のすきはなかった。もはや、両手は動かせなくなった。この状態では、刃物を持つ相手にはたちむかえない。五郎は壁にささったナイフを、うらめしげな視線で見つめるばかりだった。

五郎は命ぜられるままに、社長室の鍵のしまい場所を教え、ビルのなかを案内した。

静かな廊下に奇妙な行進の足音が響いた。うしろ手にしばられ先頭に立つ五郎、侵入者に手をつかまれたままの明子。

社長室は二階にあった。鍵がまわされ、照明がつけられ、みなはなかに入った。侵入者の青年は五郎を、机のそばの来客用の椅子にかけさせ、ポケットから出したひもで、そこにしばりつけた。また、口の上にさるぐつわもした。

もう、手ばかりでなく、身動きもできず、声も出せない。できることといえば、聞くことと、見ることとだけだ。

五郎は相手を眺めた。せめて、人相だけでも覚えておこう。また、なにを盗むのか、指紋を残した場所を見きわめておこうと思ったのだ。

さらに、かすかにこう期待した。すきをみて、あるいは相手が引きあげたあと、明子が力をかしてくれるだろうと。おれが彼女を救ったようなものだ。

しかし、それがこなごなに打ち砕かれるような光景が展開した。侵入者と明子とが、楽しげに談笑しはじめたのだ。顔をみあわせ、うまくいったことを喜び、成功を祝しあっているようすだ。

五郎は、さるぐつわの下で歯ぎしりした。明子がぐるだったとは。そこに気づかなかったおれは、なんという間抜けだ。

裏切り女め。いずれ警察に訴え、共犯で逮捕してもらわなくては、腹がおさまらない。こんな女は、そうなるのが当然だ。

五郎の怒りにおかまいなく、二人は部屋の照明を消し、楽しそうな足音を残して出ていった。どこの部屋へ入って行くのかと耳をすませたが、見当はつかなかった。

暗いなかに、五郎ひとりが残された。身動きできないからだから、くやしさの蒸気が立ちのぼるようだった。しかし、こうなってしまっては、どうしようもない。

窓に明るさがみなぎりはじめ、海のかなたから陽がのぼってきた。五郎はその光で、自分のみじめな姿を見せつけられた。

そのうち、廊下に足音がし、ドアが開いた。いつもより早く出勤してきた社長だった。目の鋭い、いかにもやり手そうな、事業の鬼といった人物だった。

社長はしばられた五郎をみつけ、ひもをほどき、そして言った。

「なんだ。このざまは」

「はい、申しわけありません。強盗にやられました。しかし、人相はわかっています。また、手引きした女もわかっています。すぐつかまえに行ってきます……」

五郎は犯人の人相の説明にとりかかった。社長はうなずき、つぎに首をふった。

「その男なら、警察に訴える必要はない。べつに被害はなかったからだ。ところで、いずれにせよ、おまえはくびだ」

五郎はがっかりして、頭をさげた。

「わたしの手落ちです。くびは仕方ありません。……しかし、わけのわからない強盗だ」

このつぶやきに、社長は解説した。

「いや、強盗ではない。就職志願者だ。ぜひ自分を採用してくれと言ってきた。いまの警備員より能力のあることを、実証してみせますからと主張していた。悪く思わないでくれ。わが社の方針は、実力主義なのだからな」

しなやかな手

ノックの音がした。

夜の十時ごろ。ここは高級なマンションの三階の一室。家賃もけっこう高そうだ。なかは広く、また豪華だった。家具はいい品がそろえてあり、すみのほうには金庫が置かれてあった。ステレオのセットが音楽を流している。

なかにいるのは、ここの住人、駒沢《こまざわ》という四十歳の精力的な男だった。青年の持つ活気と、中年の持つ図々《ずうずう》しさを二つとも持っていた。

駒沢は小さな雑誌社を経営している。もちろん一流誌ではなく、スキャンダル専門誌と呼ぶほうが早い。根拠の薄弱な情報を、低俗で刺激的な記事に仕上げてのせる。評判はかんばしくないが、売れ行きは良好だった。さらに、いろいろな妙味もある。だからこそ、このような生活もできるのだ。

彼はいま、ひとり椅子《いす》にかけ、ブランデーをグラスにつごうとしていた。

ノックの音につづいて、ブザーが響いた。駒沢はつぶやきながら立ちあがった。

「ははあ、なにか思いつめている客だな。ブザーの押しボタンが、すぐ目に入らなかったとみえる」

彼はいちおう注意ぶかく、ドアについている小さなのぞき穴から観察した。彼の顔からは警戒心が消え、笑いながらうなずいた。

二十歳ちょっとと思われる、ほっそりした色白の美人が立っている。上品な服装。いくらか緊張した表情だ。

スキャンダル雑誌をやっていると、このような夜の訪問者がよくある。自己を売り出したい歌手、記事の手加減をしてもらいたいタレント。趣味と実益の双方が満足できる商売といえた。

駒沢は女が一人であることをたしかめ、ロックをまわし、迎え入れた。

「さあ、どうぞ、どうぞ。ひとりで酒を飲むのは、どうも味気ないと思っていたところです。さあ、ごいっしょに一杯やりながら、問題を話しあうことにしましょう」

女は入ってきて、室内を見まわしながら言った。

「あの、雑誌をなさっておいでの、駒沢さんでいらっしゃいますの」

「そうですよ。わたしです。さあ、ごえんりょなく、椅子におかけ下さい。ここには

わたしひとりですし、今夜はもう、だれもやって来ません。ゆっくりとお話しができますよ」

「あたし、お話しをしに来たのではありませんわ」

「なにも、そう結論を急ぐことはないでしょう。もっとも、わたしのほうは、どっちでもかまいませんがね」

駒沢はにやにやした。この女は肉体を提供する気で来たのだろうか。それとも、金銭だろうか。どっちにしても悪くない。媚態《びたい》を呈さないところと、ハンドバッグが大型なところから察すると、金を持ってきたかもしれないな。

「あたしは急ぐのよ」

女はこう言い、そのハンドバッグに手を入れた。ふたたび出された手には、小型の拳銃《けんじゅう》がにぎられていた。先端についているのは消音器か。白くデリケートなしなやかそうな指との対照が、異様なムードを発散した。それを目にし、駒沢はあわてて言った。

「悪ふざけはおやめなさい」

「冗談なんかじゃないわ。本気よ」

「しかし、話しあえば解決することです。音楽をとめ、落ち着いて話しましょう」

彼はステレオのほうに歩きかけた。女は拳銃をかまえたまま、念を押した。

「非常ベルなど、押そうとしないほうがいいわよ。それだけ最後の時が早くなるわ」

駒沢はセットのスイッチに触れただけだった。音楽は消え、室内には息苦しい静寂がひろがった。彼は弁解をはじめた。

「記事のことでしたら、わたしだけの責任ではありません。読者たちの需要に応じて、わたしはただ供給しているだけのことですよ」

「そうかもしれないわね」

と、女はあまり表情を変えなかった。

「記事がご不満なら、どんなご希望にもそいますよ。早まったことは、なさらないで下さい。しかし、あなたはどなたですか」

「あたしの名前は、犬塚信子よ」

駒沢はしばらく首をかしげていたが、やがて言った。

「聞いたことのないお名前だ。うちの雑誌でいままで記事にしたことも、これから取り上げる予定もありません。なにかの誤解でしょう」

「誤解はしていないわ」

「しかし、いったい、お仕事はなんなのです。歌手でしょうか、俳優でしょうか。いや、手の指が芸術的なところを拝見すると、バイオリンのほうでしょうか……」

駒沢は思いつくままにあげた。だが、女は首を振り、静かに言い渡した。

「そんなたぐいじゃないわ。死神よ」

「なんですって……」

「つまり、殺し屋なのよ」

駒沢は信じられないという表情になった。

「まさか……」

「そうは見えない、とおっしゃりたいんでしょう。だからこそ成功するのよ。もし、黒ずくめの服の青年や、腕っぷしの強そうな男だったら、こう簡単に、なかへ入れてはくださらなかったでしょうね」

「そんな職業が本当に存在するとは……」

「さっき、ご自分でもおっしゃってたじゃないの。需要のあるところ、供給ありよ。熱心な依頼人は、なんとかしてあたしに渡りをつけようとするわ。あたしのほうも、心がけてお客をさがす。連絡がつけば、商談が成立というわけね」

「商売として割り切っているのなら、取引きに応じてくれ。その倍の金を払う。三倍でもいい。どうだ、手を打ってくれないか」

駒沢は、いくらか落ち着きをとり戻したようだった。交渉によって、事態を有利に展開できそうだとの自信を抱きはじめた。

「そうはいかないわ。商売は信用の上に成り立っているのよ。そんな裏切りをしたら、これから依頼人がなくなってしまうわ」

「それなら、廃業して困らないだけの金額を払う。あなたのような美人のためなら、全財産を投げ出しても惜しくない」

駒沢は大げさな文句まで持ち出した。しかし、女は冷静だった。

「そうはいかないわよ。このまま引きあげたら、あなたが黙っているわけがないでしょう。あたしは顔を覚えられたし、名前も言ってしまったわ。見のがしたら、お金はすぐに取り返され、一生こっちが恐喝されてしまうわ。だから、取引きはできないのよ」

「どうしても、だめか」

「だめね。でも、ブランデー一杯を飲むあいだぐらいは、待ってあげてもいいわ。あたし思いやりがあるのよ」

駒沢はグラスに酒をついだ。あまり震えてもいない。女はブランデー・グラスを見て目を丸くした。

「また、ずいぶんついだものね。まあ、いいわ。早くお飲みなさい」

彼は少し飲み、そして話しかけた。

「だれにたのまれたのか、聞かせてくれないかね。なぞのまま死ぬのも心残りだ」

「どうせ、まもなく最期《さいご》なのだから、教えてあげるわ。歌手の香木町子さんよ。あたし、依頼人のかたには、敬称をつけて呼ぶことにしているのよ」

女はちょっと笑った。駒沢は頭をかき、つぶやくように言った。

「なるほど、そうだったのか。香木町子については、少しひどく書きすぎたかもしれないな」

「本人にとっては、少しどころじゃないようよ。これ以上書きたてられると、歌手としての生命が終りになるんですって。それなら、いっそのこと……」

「こっちを、というわけか」

「ええ、正当防衛よ。あたしはそのお手伝いをさせていただく形ね」

「とんでもない話だ。言いぶんがあるのなら、法廷へ訴えればいい」

「判決を待ってたのじゃ、適切で満足できるような結果が得られないことぐらい、あなたもご存知のはずよ。それに、弁護士への費用もばかにならないわ」

「どうしても、見のがしてくれないか」

「どうしても、だめね」

女は断念してくれそうになかった。

駒沢はまた酒を口にし、ちょっと考えた。あまり追いつめられた表情はない。彼はさらに話しをつづけた。

「それじゃあ、知りたいことを、みな質問してしまうことにするよ。そもそも、きみのような女性が、なんでこんな仕事をはじめたんだ」

「原因のひとつは、父の死よ。あたしの父は無実なのに有罪にされ、刑務所で病死してしまったの。本当に悪事をしたのなら、あきらめもつくでしょうけどね。だから、あたしはその、悪事をする権利を遺産相続した形よ」

「妙な理屈だが、気の毒な話だな。どうだろう。うちの雑誌で記事にしてあげてもいい。きっと、同情が集るだろう」

駒沢は提案したが、女は拒絶した。

「あたし、人の同情を受けるのがきらいなのよ。悪事であろうと、自分の力で生きてゆくほうが楽しいわ」

「それで、殺し屋をはじめたわけか」

「そうじゃないわ。はじめのうちは、兄と組んで、ちゃちな犯罪をしばらくやったわ。だけど、そのうち兄がつかまるし、あたしも、けちな仕事より、もっと刺激的なことをやりたくなったの。そして、死神となったしだいよ」

「ずっと順調かい」

「ええ。こうして仕事をつづけているじゃないの。このあいだは、高利貸の芝橋という人を片づけたわ。でも、この時は引金をひく前に、死への恐怖で発狂しちゃったわ。生ける屍《しかばね》。それを確認し、執行を中止してあげたわ」

「芝橋の発狂のうわさは聞いたが、それがきみの仕事とは知らなかった」

駒沢は感心した。女は美しい手で拳銃をもてあそびながら言った。

「あなたも本当に発狂すれば、助けてあげないこともないけど、無理なようね。いやに落ち着いているじゃないの。自分のしたことのむくいと、覚悟しておいでなのね。立派だわ」

「いや、ほめてくれなくてもいい。死なないですむ自信があるからさ」

「あら、本当に発狂したのかしら。あたしの決意は変らないのよ。逃げることは不可能だし、ブランデーも残り少ない。まもなく引金をひくわよ……」

しかし、駒沢はこわがるどころか、楽しげな笑いとともに言った。

「それが大丈夫なんだな」

「なぜなの……」

女はいくらか不安そうになり、あたりに目をやりながら聞いた。

「説明の必要があるな。いまの会話はすっかり録音してある。わたしが死ねばそれが証拠となって、依頼人もろとも必ずつかまる」

「そんなおどかしはだめね。悪あがきはおやめなさいよ」

「でたらめではない。わたしも職業柄、会話をひそかに録音する装置を用意してある。あのステレオだ。スイッチを切ると、自動的にテープが回り出すしかけになっている。それくらいでないと、スキャンダル雑誌はやっていけない」

「悪がしこいあなただから、やりそうなことね。本当かもしれないわ。でも、教えて下さって、ありがとう。あとで、それをはずして記念に持って帰るとするわ」

「そんな程度なら、わざわざ教えはしない。レコーダーがどこで回っていると思う」

駒沢はとくいげに指さし、女は目で追った。電気のコードは、部屋のすみにあるダイヤルつきの金庫の下へ伸びている。女は言った。

「金庫のなかなのね……」

「ご名答だ。特に作らせた金庫だが、やっと役立ってくれた。疑うのなら、耳を押しつけてみるとわかる。モーターの回っている音がするはずだ。いや、たしかめてみる方法は、もう一つある。わたしにむけて引金をひけばいい。そうすれば、いずれはっきりする。警察に逮捕されることでね」

立場が逆転し、駒沢は満足そうに笑いつづけた。女は深い息をついた。

「とても信じられないけど、うそでもなさそうね。恐ろしいしかけだわ」

「どうだね。もう、引金をひく気がなくなったはずだ。さあ、そろそろ相談に移ろう。といって、べつに、きみを警察に突き出すつもりはない。あまり追いつめ、興奮して引金をひかれても困るからな」

「あたしを、どうなさるおつもり……」

「わたしと仲よくしてくれればいい。きみは美人だ。悪いようにはしないよ。もっとも、依頼人の香木町子のほうは、そうはいかない。いじめかたは、ゆっくり楽しみながら考えることにしよう」

「あなたって、徹底した悪人なのね。同情の余地はないわ。こんなことなら、すぐに殺してしまえばよかったわ」

「もはや手おくれだ。あのテープは複製を作って、銀行の金庫におさめておくことにする。まあ、そう呆然《ぼうぜん》としていないで、録音を音楽にもどし、一杯やりながら、わたしの要求を聞いてもらうことにしよう。それとも、記念のテープに吹き込む文句がまだ残っているかい」

　駒沢の笑い顔は、舌なめずりしているようだった。女はそれに応じて言った。

「あるわ。さっき、以前にちゃちな犯罪をやってたと言ったけど、まだ、その説明をしてなかったわね」

「これは、どういう心境の変化だ。なにもかも、ざんげしようというのは。まあいい、なにをやってたというのかね」

　駒沢は愉快そうに、ブランデーの残りを飲みほした。女は拳銃をにぎった自分の手、しなやかな白い手にちょっと目をやりながら言った。

「じつは、どんなダイヤルもあけてしまう、金庫破りだったのよ……」

感動的な光景

ノックの音がした。

ある日曜日の午後。ここは荒山昌三郎《しょうざぶろう》の屋敷。高級な住宅地にあり、かなり立派な洋風のつくりだった。その玄関のドアがたたかれたのだ。

自分の書斎で手紙類に目を通していた荒山は、その音を耳にし、家人を呼んだ。

「おい、だれかいないか。お客さまのようだ」

しかし、きょうは休日。妻子は親類の家に遊びに行き、手伝いの女は映画見物に出かけて留守だった。家に残っているのは、彼のほかには、庭の手入れなどをする老人ひとり。その老人がやってきた。

「はい、先生。なんでございましょう」

「ノックの音を聞いた。来客のようだ。玄関を見てきてくれ」

「はい……」

老人は取次ぐべく、玄関へむかった。

荒山昌三郎は五十五歳。重々しい声の持ち主で、しゃべり方にももったいぶった調子があった。ちょっと太っていて、顔色もよく、貫録があった。

彼の職業は政治家。外見にふさわしい職業であり、職業にふさわしい外見といえた。とかくのうわさもあるが、実力者との評判だった。

やがて、老人が名刺を手に戻ってきて報告した。

「ぜひ先生にお目にかかりたい、と言っております」

その名刺には、青光プロダクション社長・江川美根子と書いてある。荒山はそれに目をやり、首をかしげながら言った。

「面識がないな。あらかじめ電話もなく、紹介状もない。どんな用だろう。こみいった陳情なら明日、事務所のほうへ来るように言って、お帰ししてくれ。日曜は休養したい」

「陳情のたぐいではないそうです。きれいなご婦人ですよ」

「そうか。まあ、応接室にお通ししてくれ」

陳情でないのなら気が楽だ。それに、美しい女性なら、顔をながめてみるのも悪くない。もっとも、老人の判断ではあてにならないが。

応接室に入ると、はっきりした口調で女があいさつした。

「荒山先生でいらっしゃいますか。あたくし、江川でございます。突然おじゃましてしまいまして……」

三十歳くらいだろうか、すらりとしたからだつきで、地味な色だが上品なデザインの服を、巧みに着こなしている。そのため、胸につけた高価そうな宝石のブローチが、効果的にひきたって見えた。

頭のきれそうな容貌《ようぼう》で、活動的な身のこなしだった。プロダクションを経営する女性は、こんなタイプでなくてはならないのだろうな。そう考えながら、荒山は聞いた。

「まあ、椅子《いす》におかけ下さい。それで、どんなご用件でしょうか。複雑な問題でしたら、日を改めて……」

「いいえ、政治的なこととは関係ございません。といって、個人的なことでもございませんけど……」

なぞのような言葉に、荒山はとまどった。

「いったい、なにごとでしょうか」

「じつは、このお屋敷を撮影させていただけないかと、お願いにお寄りしたわけですの」

「撮影ですって……」

「はい。あたくしのプロダクションは、テレビ用の映画を作るのが仕事ですの。ですから、劇場用の映画のように費用はかけられず、セット撮影はできません。こんどのロケにふさわしい適当な家はないものかと、自動車を走らせておりましたら、このお屋敷がイメージにぴったりでしたので……」

「ははあ」

「門の表札を拝見しますと、有名な政治家の荒山先生。お忙しい方なので無理とは思いましたが、いちおうお願いだけしてみようと……」

「なるほど」

荒山はうなずき、ほっとした。予算獲得への運動とか就職依頼といった、面倒な問題でないとわかったからだ。女は事務的な、だが熱心な口調で話しつづけた。

「おいやでしたら、ほかをさがしますけど、いけませんでしょうか、先生。二時間ほどでけっこうですの。借用のお礼としては、軽少ですけど、謝礼金が用意してございます」

使用料などという点は、荒山にとってどうでもいいことだった。しかし、撮影に場所を提供すれば、話の種になるだろう。彼は少し具体的な質問をした。

「で、いつお使いになるのでしょう」

「天気もいいことですし、よろしければ、これから電話で連絡し、すぐにもすませてしまいたいと思いますわ」

「きょうは日曜で来客の予定もなく、こちらもつごうがいい。しかし、そう簡単なものとは知らなかった」

「ええ、うちのプロはスピードを看板にしておりますの。そうでなければ、競争のはげしいテレビ関係でやっていけませんもの。それに撮影用のカメラなども、昔とちがって、小型で性能のいいのが作られていますし……」

「そうでしょうな。けっこうですよ。どうぞお使い下さい」

荒山は承知した。損をするわけでもなく、となりの家へ行ってごらんなさいと、断わる理由もない。それくらいなら、ここを使わせたほうが宣伝にもなるというものだ。週刊誌や新聞の芸能欄のすみに、自分の名が出るかもしれない。利口そうな女だから、そんなことを計算に入れているとも考えられる。しかし、こっちにも利益になることだ。

女は喜び、そばの電話を借り、連絡をした。了解を得られたことを告げ、ここの番地や道順などを教えていた。

電話をすませ、女は荒山に言った。

「四十分ほどで、タレントがまいります。もちろん、お部屋を汚したりしないようにいたします。うちのプロは、その点をとくに注意しておりますの」

「女性が社長だと、さすがに、こまかく気をくばるものですな。まあ、置物などがなくならないよう願いますよ」

荒山は冗談のつもりで言ったのだが、女は真顔で答えた。

「そこですのよ。統制のとれていない怪しげなプロになりますと、そんな被害を及ぼすというううわさもございます。ほんとに困ってしまいますわ。もちろん、うちのプロはご心配なく……」

荒山はふと思いついて、べつな疑念をただすことにした。

「それはそうと、どんなストーリーのものです。ギャングの本部とか、秘密クラブとか、そんな舞台に使われては、わたしも世間から変に誤解され、迷惑してしまいます」

「そんなたぐいではございませんわ。ひとりの男が悪の道から立ちなおり、正しく強く生き抜く物語りですの。ここで撮影するシーンは、その男がむかし更生へのきっかけを作ってくれた恩人の家へ、成功してからお礼にやってくるところです」

「いい話ですな。テレビドラマは、そうでなくてはいけません。このごろの番組は、軽薄なのが多くて、問題にすべきだと思っておったところです」

「男はお礼の札束を差し出すが、恩人はそれを受け取ろうとしない。しかし、たっての願いで、恩人は恵まれぬ人びとへの施設の建設を思いつき、その資金として受け取ることになるのですの……」

「なるほど。すばらしい。視聴者へ与える感激を、大いに盛り上げて下さい。そんな場面に利用なさるのでしたら、わたしとしても心から協力いたしましょう。ご自由にお使い下さい。借用料など問題でありません。できればわたしも出演したいところですが、芝居の経験のないのが残念です……」

荒山はまばたきをし、大きな声の演説口調になりかけた。

「ご理解いただけて、あたくしもうれしく思いますわ。お礼の意味で、その恩人の役を、なるべく先生に似させるようにしましょうかしら……」

「ご好意はありがたいですな」

荒山は、まんざらでもなさそうに笑った。

雑談をしているうちに、二人の男がやってきた。女の紹介によると、ひとりは恩人役をするタレント、ひとりはカメラマンだった。カメラマンのほうは若い男で、バッグからビデオカメラを取り出し、手入れなどをはじめた。

タレントのほうは年配の男だった。女の指示で髪の分け方を変え、少し化粧をすると、荒山に似ないこともなかった。

江川美根子という女は演出まで兼ねているらしく、きびきびと指示をした。タレントの歩き方から言葉使いまで、注意を与えていた。荒山にとって、このような光景は物珍しく、感心しながら眺めていた。

訪問客をやるタレントは少しおくれるらしく、その到着までの時間を利用し、恩人役が庭を散歩するシーンの撮影がはじめられた。

荒山と召使いの老人も、いっしょに庭へ出て見物した。しかし、カメラマンの男から、そこは撮影のじゃまだから、あっちへ行ってくれ、こっちへ行ってくれと注意された。それに従って、うろうろ動く二人に、女は頭をさげて弁解した。

「出演者以外の人がカメラに入っては、困るんですの。なにしろ、編集に手間がかかりますし、時間をむだにするわけにいきませんので……」

「それはそうでしょう。わかりますよ」

小さなプロダクションなら、それも当然だ。荒山はべつに腹も立てなかった。

そのうち、道のほうで自動車の止る音がした。女はそれに気づき、荒山に言った。

「あとのタレントが来たようですわ。では、こんどは応接間を使わせていただき、室内での撮影をすませますわ」

「見物していいでしょうな」

「かまいませんわ。だけど、カメラのじゃまにならないよう、あたくしとごいっしょに、窓のそとからごらんになりません……」

「それでもいいですよ」

タレントとカメラマンは、庭からあがって応接間にむかった。女と荒山とは芝生の上をゆっくりと歩き、窓へと近よった。

先に立った女は、なかのようすをうかがい、器用に手を動かして荒山に合図した。カメラの角度に首を出さぬようにとの指示らしい。荒山はそれに従い、ちょっとのぞいた。

撮影は開始されているようだ。ガラス越しのため声は聞こえないが、応接間の椅子に、机をあいだに二人の男がむかいあっている。うしろ姿しかわからないが、来客役のほうのタレントが、しきりに頭をさげていた。

荒山は女にちょっと突つかれた。注意してながめると机の上に札束が出ていた。問題の感動的な光景に入ったらしい。札束を押しかえしたり、さらにそれを差し出したりしている。

感謝の気持ちを示すのなら、もっとオーバーにしたらよさそうなものだ。荒山はこう感じたが、女には言わなかった。なにしろ、こっちは門外漢だ。大げさな演技はいまでは古いのよ、と笑われるかもしれない。

来客役はしきりに頭をさげ、席を立った。自動車が走り出す場面まで撮影するのか、カメラマンの男は門までついていった。

それをみとどけ、女は言った。

「やっとすみましたわ。おかげで助かりました。それでは、お部屋に戻りましょう。品物が紛失していたり、傷ついたりしていたら、あたくしの責任でございます。どうぞ、おたしかめになって下さい」

そう言われ、荒山はふたたび部屋に戻った。しかし、高価な置物や壁の名画に異常はない。しいてあげれば、灰皿に少し吸殻がたまった程度だった。

「こうていねいに使っていただけるのなら、いつでもロケにお貸ししますよ」

「そうおっしゃっていただけると、うれしくなりますわ。では、お約束のお礼です」

女はハンドバッグから封筒をさし出した。荒山はいちおう辞退したものの、結局は断わりきれずに受け取った。領収証にサインをするため、なかをのぞくと、たしかに入っていた。

そして女は、恩人役のタレントとカメラマンを連れ、礼儀正しく帰っていった。

つぎの日、荒山はかかってきた電話に出た。相手は男の声だった。

「荒山先生でいらっしゃいますか」

「ああ、わたしだ」

「昨日は、とつぜんおじゃまいたしまして……」

女の代理だろうか、それとも、タレントなのだろうか。荒山は気楽に答えた。

「いや、お役に立てば、それでいいのです」

「なにぶん、お願いした件をよろしく……」

「お願いとはなんでしょう。あれで終りなのでしょう。それとも……」

「お忘れになっては困りますよ。補助金獲得への運動費として、資金をお渡し申しあげたではありませんか」

「おいおい、冗談は困るよ」

「そう申しあげたいのは、こちらですよ」

相手の口調は真剣だった。それを知り、荒山はあわてた。どうやら、この家を舞台に使われ、巧妙な詐欺《さぎ》がなされたらしい。来客だけが本物で、みごとに引っかかったのだ。

電話の相手はさらに言った。

「みこみがないのでしたら、運動費をおかえしいただきたいのですが……」

呆然《ぼうぜん》としながら、荒山はふと考えた。この男も一味、いや張本人かもしれぬ、と。しかし、そんな立証はできないし、相手がこの家に金を置いていったことはたしかなのだ。

ひどい騒ぎに巻きこまれたものだ。電話を切った荒山は、ため息をつき腕を組んだ。事情を知らない者が見たら、ちょっと感動的な光景と思うかもしれない。

財産への道

ノックの音がした。

海岸に近い、松林にかこまれた洋風の住宅。そう大きくはないが、金のかかったつくりで、手入れのゆきとどいた庭はけっこう広かった。落ち着いた雰囲気がただよっている。その玄関のドアがたたかれたのだ。

午後の二時ごろ。都会ならさわがしい盛りの時間だが、ここは郊外のため、空気は新鮮で静かさを含んでいた。

住人は辻山《つじやま》利一郎と娘の恵子。利一郎の妻は数年前に死亡し、いまは二人きりの生活だった。あくせくすることなく、ゆうゆうと暮しているとの近所の評判だった。

椅子《いす》にかけて雑誌を読んでいた恵子は、ノックの音を耳にして立ちあがった。彼女は二十七歳。髪は長く、伏目がちで、色白だった。おとなしそうだが、感情を内に秘めているといった印象を与える容貌《ようぼう》だった。

彼女がドアをあけると、小さなカバンを下げた青年が立っている。三十歳ぐらいだろうか。とりたてて特徴はないが、緊張で固くなっているような感じだった。恵子は聞いた。

「どなたでしょうか」

「あの、ぼく原口秋夫《あきお》という者ですが、辻山利一郎さんにお会いしたいと思って、おうかがいしたわけです」

「どんなご用件でしょうか」

秋夫という青年は、親しげな態度をとろうとしながらも、また口ごもった。

「あの、探偵社の和田さんというかたから、ご連絡がすでにあったと思いますが、辻山さんのおさがしになっている息子というのが、ぼくなのです」

時どきつかえながら、訪問の目的を告げた。その言葉で、恵子は目を大きく見開いた。

「あら、そうでしたの……。和田さんからは、さっきお電話がありましたわ。それで、どんなかたがいらっしゃるのかと、お待ちしていましたのよ」

恵子に見つめられ、秋夫はまぶしそうに聞きかえした。

「失礼ですけど、あなたは……」

「あたしは娘の恵子。つまり、あなたが……」

しかった。会ってすぐの相手に対し、そう親しげに呼ぶことはむずかしい。

恵子は声を途中で弱めてしまった。お兄さまなのね、という文句が口にしにくいら

「そうでしたか。すると、あなたが……」

秋夫もまた言葉をつまらせた。だが、妹と呼びかけるのがてれくさいとか、興奮のためとかいった純情な理由からではない。あくまで意識した演技だった。

精密な準備をととのえ、練習をくりかえしてきた作戦。その舞台の幕が、いまあがったのだ。この家の財産の分け前にあずかろうという……。


恵子は声をかけた。

「どうぞ、おあがりになって……」

そして、応接間に案内した。秋夫はそれに従い、あたりをそれとなく観察した。床のじゅうたんは厚く、壁に飾られている絵もいい趣味だった。家具から電気スタンドやメモのセットに至るまで、高価そうな品ばかり。それらが上品に配置され、精神的にも物質的にも、余裕にみちた生活であることが察せられた。

秋夫はどもりながら、あせりぎみの口調で言った。

「お父さんに、早くお目にかかりたいのですが……」

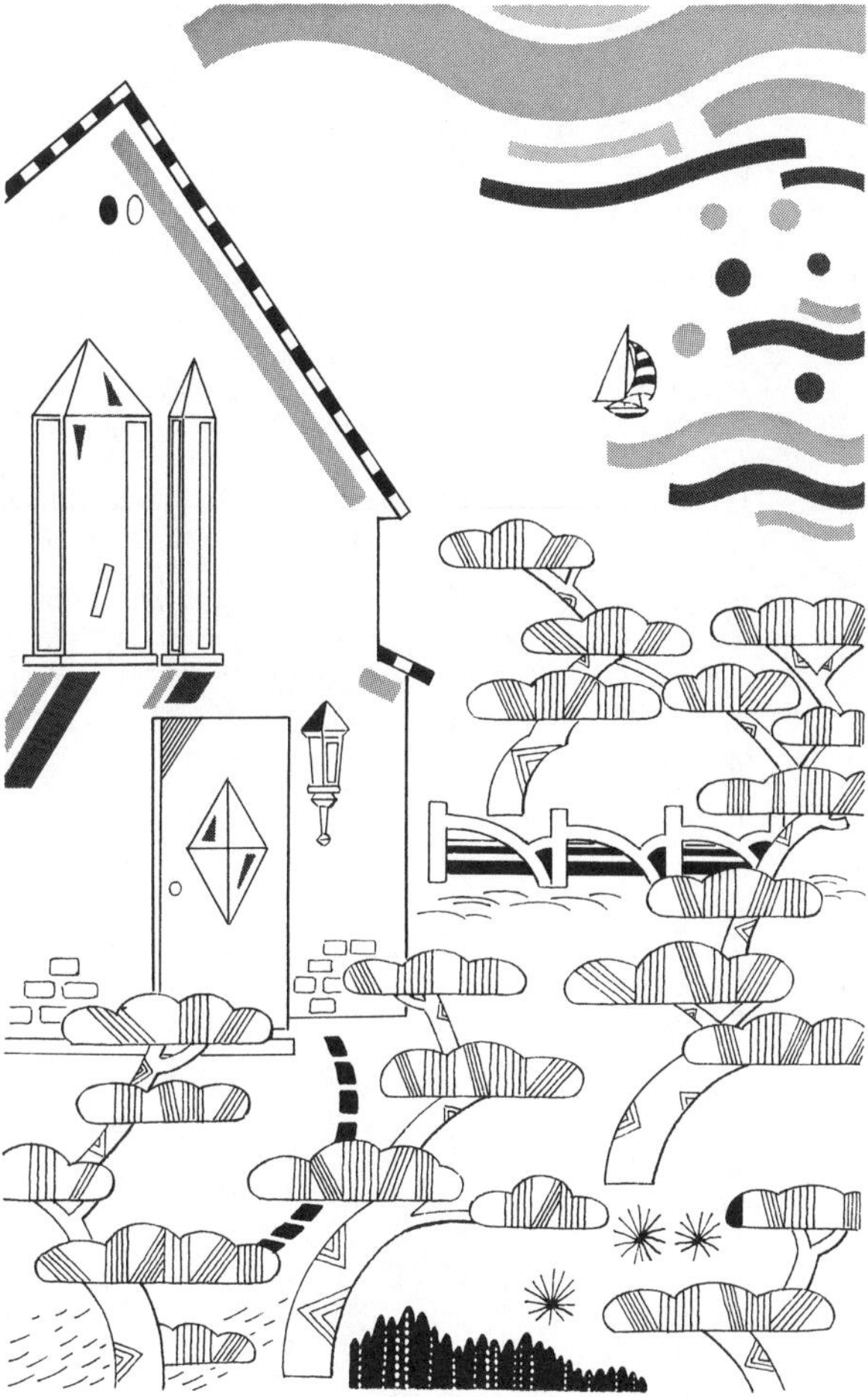

あくまで、緊張した態度を示さなければならないのだ。めぐり会った父との対面を控え、世間話や冗談で笑ってはおかしい。

「父はいま、昼寝をしておりますの。としもとしですし、からだもあまり丈夫ではありませんし。目のさめるのを待つあいだ、ここでお話をしましょうよ……」

恵子はちょっと座を立ち、紅茶をいれて戻ってきてすすめ、話をつづけた。

「……事情はもうお聞きでしょうけど、父は三十年前、事業に失敗し、ひどい暮しになってしまいましたの。そのため、その時うまれたばかりだった男の子を、手放さなければならなかったそうですわ。でも、そのご、死物ぐるいで働いたおかげで、いまでは財産もでき、なんの不自由もなくなりました。だけど、生活が安定すればするほど、別れた子供のことが思い出され、心が悩む。あたし、見るに見かねて、探偵社におたのみしたのですよ」

「そのことは、うかがいました。夏のある日、プールで泳いでいると、不意に見知らぬ男の人に声をかけられたのです。その人が探偵社の和田さんでした。ぼくの背中のホクロを指さし、これがさがしている人の特徴だと言いました。そこで話を聞かされたのです」

秋夫はもっともらしく言った。最初にプールで会ったのは事実だったが、事情を説明されたというより、陰謀の計画を伝授されたのだった。

もちろん計画を打明けられた時は、あまりに突然の話で、はじめ秋夫はしりごみした。しかし、和田という男は熱心だった。自分の指示どおりにやりさえすれば、絶対に成功すると、しきりに主張した。また秋夫のほうにしても、まだ結婚できないような、あわれな日常にあいそがつきていた。かくして、辻山家の息子になりすます工作が開始されたのだ。


恵子は秋夫の話をうなずいて聞いてはいたものの、疑いを含んだような声で言った。

「ホクロの点では、ぴたりと一致していますわ。ホクロは人工的に作れませんものね。でも、それだけでは困るわ。もっとなにかないと、父に取りつぐ時に……」

「ごもっともなことです」

「だいいち、雄一という名のはずなのよ。あなたはたしか秋夫さんとかおっしゃったわね」

「ですから、ぼく、ひととおり書類を持ってきました。もっと早くまいりたかったのですが、ただ現れただけでは信用していただけないと思って……」

秋夫はカバンをあけ、何枚かの書類を取り出した。これらはすべて、和田の入れ知恵でそろえたものだった。彼はその一枚を手にした。

「……これはぼくの父母、いや正しくは養父母と言うべきでしょうね。幼いぼくを引き取り、実子として籍に入れたという証言を書類にしたものです。その時に、名前だけは自分でつけたいというので、秋夫にしたのです。本来は雄一であることが、これでおわかりになることと思いますが……」

「ずいぶん書類をお持ちのようね。ほかにも、なにかありますの。拝見できるかしら」

「ええ、そのために持ってきたのですよ。これは血液型の証明書です。そして、これは……」

秋夫はいろいろと説明した。なかには古びた書類もあった。しかし、いうまでもなく作り物。和田に教わって、日光にさらしたり薬品につけたりして、古く見えるように細工したものだ。

恵子はそれを手にし、一枚一枚をていねいに眺めた。

彼女のようすをそれとなく観察しながら、秋夫は思った。恵子は美人であり、感じもいい。なにも、こんな手数のかかる方法をとらなくても、彼女と結婚できさえすれば、もっと確実に財産が自分のものになるのに、と。

しかし、それは無理な相談にきまっている。秋夫にはまるで財産がなく、前途有望な地位にあるのでも、特異な才能にめぐまれているわけでもないのだ。結婚を申し込むチャンスがあったとしても、断わられるにきまっている。やはり、息子になりすます以外に手段はない。兄妹《きょうだい》でがまんしなければならない。なにしろ、財産が手に入るのだ。

書類をながめながら、恵子は時どき眉《まゆ》を寄せ、読みかえしたりした。そのたびに、秋夫はひやりとした。

しかし、全部に目を通し終ってから、彼女は大きくうなずいた。

「この限りでは、けっこうなようね。だけど、あたしに決定権はないのよ。最後の確実なきめてとなると、父の勘による判断しかないわけでしょう」

「そうですとも。お目にかかれさえすれば、すぐに心が通じあい、わかっていただけますよ」

秋夫は身を乗り出した。対面の場における演技にも自信があった。感激と興奮。ためらいと愛情。なつかしさと恥ずかしさ。うれしさとぎこちなさ。それらを巧妙にミックスしてぶちまけるのだ。彼はそのため、自分の意志で涙を出せるまでに練習した。すでに、涙はいくらか流れはじめていた。この調子で、その最終試験を必ず突破してみせる。そして、この辻山家の資産の分け前にあずかってみせる。

「父はなんと言うかしら……」

恵子はつぶやき、その顔には複雑な表情があった。新しい兄にめぐりあえた喜びとともに、不意の侵入者に対する不安と警戒らしきものがあった。

秋夫も目ざとく、すぐそれに気づいた。普通だったら、見のがしてしまったことかもしれない。しかし、あらかじめ和田から注意されていたことだった。

相続人が一人ふえれば、恵子にとって損失ではないか。常識で考えてもわかる。だから、財産に対して野心のないことを示す必要がある、と。それを怠ると、恵子から父への報告が円滑におこなわれず、まとまる話もだめになるかもしれない。

和田の指図で、その対策のため、秋夫は親類や知人から金を借り集めた。一生に一度のお願いだと、無理を言って借り回ったのだ。そして、ダイヤのついたペンダントを買った。

秋夫はそれをおさめた箱をカバンから出し、恵子にさし出した。

「なんだか手ぶらでうかがうのも変なので、あなたへの贈り物を買ってきましたよ。気に入って下さるといいんですが……」

「まあ、すてきだわ。高いんでしょう」

箱をあけてのぞいた恵子の顔には、うれしさが広がった。すべての疑惑の表情は消えていった。

「いえ、たいしたことはありませんよ」

秋夫は軽く言ってのけた。しかし、じつはたいしたことはあった。普通の会社員の半年分の給料ぐらいの金がかかったのだから。だが、彼は恵子の目の輝きを見て、ほっとした。必要経費としての投資が、みごとに役に立ったようだ。

自分を息子とみとめさせれば、あとはどうにでもなる。この不動産を保証に使えば、金を作ってすぐに返済できるというものだ。和田の助言で細かく準備したため、なにもかも予想以上にうまく進展しているようだ。もう一息。

恵子はペンダントを首にかけ、鏡をのぞいた。

「ほんとに、すばらしいわ。こんな物いただいていいのかしら」

「もちろん、いいんですよ。で、お父さんは、まだお目ざめじゃないんでしょうか。ぼくは一刻も早くお会いしたいのですよ」

秋夫は最終段階へと意気ごんだ。

しかし、恵子は秋夫の期待を裏切るような、変な言葉を口にした。

「さあ、会ってもだめなんじゃないかしら」

「どういう意味です。せっかく息子がたずねてきたのに。それとも、ぼくが本当の息子じゃないとおっしゃるのですか」

「ええ、そうなのよ。本当のとこはね、父には息子なんて、はじめからないのよ。架空の存在なの」

恵子は冷静に言い、秋夫はかっとなった。

「それはひどい。こんな手のこんだいたずらでひとをだまし、からかうとは」

「だまそうとしてやってきたのは、どなたかしら」

秋夫は、憤然として立ちあがった。

「ぼくは帰ります。さあ、そのペンダントをかえして下さい」

「だめよ。あたしへの贈り物でしょ。どうしてもかえしてもらいたければ、警察へ訴えたらどう。でも、それには、ご自分の詐欺《さぎ》を告白しなければならないのよ」

「そんな手数のかかることはするものか。腕ずくで……」

と言いかけた時、恵子は短く口笛を吹いた。たちまち、一匹の犬があらわれ、そばへやってきた。そう大きくはないが、いかにも強そうで敏捷《びんしょう》そうで、低くうなっている。

「あたしが命令すると、すぐに飛びつくのよ」

こうなっては、ここであばれるのをあきらめなければならない。だが、いままでの苦心や、借り集めた金のことを思うと、気分はおさまらない。秋夫は言った。

「犬だけはやめて下さい。引きさがります。しかし、あの和田という男はひどいやつだ。ただではすまさないぞ。これから行って……」

「およしなさいよ。あたしとぐるだったんだから、さがしてもむだね。いまごろは行方をくらましているはずよ」

すばらしい夢と期待は、一瞬のうちに崩れて消えた。秋夫は呆然《ぼうぜん》とし、泣き声をあげた。演技ではない、本物の涙とともに。

「ああ、ぼくはどうしたらいいんだ」

その彼にむかって、恵子はなぐさめるように話しかけた。

「そうがっかりなさることはないわよ。あたしが名案を教えてあげるから」

「どんなことです。こうなってしまっては、名案なんかあるわけがない」

「あるわよ。こんどは、あなたが和田さんの役をすればいいのよ。カモを見つけ、適当に仕立てて、ここへ送りこんでちょうだい。うまくいったら、五割の分け前をあげるわ。十人もつかまえてごらんなさいよ。笑いがとまらなくなるじゃないの」

「そういうしかけでしたか」

「元気が出たでしょ。やり方は、もうすっかり身についてると思うけど、念のために、細かい打合せにかかりましょうか……」

華やかな部屋

ノックの音がした。

夜の八時ごろ。ここはわりと高級なマンション。その五階にある一室だった。内部はしゃれた洋風であり、壁に飾られた絵の趣味から、カーテンやベッドに至るまで、どことなく若く華やかな印象を受ける。

それも無理はない。この部屋の住人は草町佐江子という二十五歳の女性だった。あか抜けした美人だ。新しくできたある大きなホテルのなかに、香水の専門店を経営していた。だから、このような生活も可能なのだった。

もっとも、その店の資本は波野鉄三という男から出ていた。彼は某会社の重役。時どき、この部屋を訪れる。つまり早くいえば、佐江子は波野の二号だということになる。

長椅子《ながいす》の上に寝そべって、退屈そうにテレビを眺めていた佐江子は、ノックの音に首をかしげてつぶやいた。

「だれかしら。きょうは、波野さんは来ないはずだし……」

しかし、来客をほっておくわけにいかない。彼女は立ちあがり、ドアの内側から声をかけた。

「どなた……」

「ぼくですよ。須藤《すどう》です」

それを聞いて、佐江子はにっこりした。須藤優平というのは、やはり同じホテル内で、彼女の店のとなりでカメラの店をやっているスマートな青年だ。

毎日顔をあわせるわけで、おたがいに憎からず思うようになったのも当然のことだ。時たま、この部屋にたずねてくる。彼女も波野のこない日は、迎え入れて話し相手になる。

佐江子がロックをまわしドアをあけると、須藤は快活に話しかけてきた。

「かまわないかい。もし忙しいのなら、引きあげますよ」

「いいのよ。退屈でぼんやりしていたとこなの。いっしょにお酒でも飲みましょうか」

「すてきな提案ですね……」

意見は一致し、須藤はなかに入ってきた。商売がら身だしなみはよく、いくらか軽薄な点もあるが、雑談や遊びの相手としては申しぶんない。

佐江子はテレビを消し、ステレオをつけた。若い二人が甘い会話をするには、このほうがいい。

「いま、カクテルでも作ってくるわ」

彼女はキッチンのほうへ行き、冷蔵庫の氷をはずしたり、酒やグラスを用意したりした。準備はととのい、二人はグラスを手にした。彼女は浮き浮きした声で言った。

中年すぎの波野と話すより、よっぽど楽しい。

「さあ、なんのために乾杯しましょうか」

「そうだな。まあ、おたがいに若い人生を楽しみましょう、とでもなるのだろうな」

「そうね。じゃあ……」

やがて、酔いが快くまわり、雑談が進み、音楽はムードを高める伴奏をしていた。はじめのうちは、二人ともべつべつな椅子にかけていた。だが、やがて長椅子に並んですわり、須藤は彼女の肩に手を回した。

くちびるがあわさり、事態はさらに進展しようとしかけた……。

その時、ドアにノックの音がした。佐江子はびくりとして身を引いた。

「なんだい。せっかくの気分がこわれちゃうよ」

と聞く須藤に、佐江子は口に指を当ててみせた。静かにしてちょうだい、という意味だ。そして、ドアに近よって言った。

「どなた……」

「わたしだ。波野だよ。予定が変更になり、きょうは仕事がなくなった。それで寄ってみたわけだよ」

応答をせずに居留守を使えばよかったが、もはや手おくれ。来客が波野となると、いいかげんなあしらいはできない。彼女は喜んだような声を出して答えた。

「うれしいわ。でも、ちょっと待って。いま着がえをしているのよ」

「そんなことは、わたしたちのあいだで気にすることもないだろう」

「だけど、ちょっと待って。お願い……」

「ああ、いいよ」

波野はドアのそとで、すなおに承知した。佐江子は問題の収拾と対策にあわてなければならなくなった。まず、須藤にささやいた。

「大変なことになっちゃったわ」

「なにか急用ができたのなら、ぼくは帰るよ」

「帰っていただきたいんだけど、それが、ドアからは出られないのよ。スポンサーなのよ」

「なるほど、旦那《だんな》というわけか」

須藤はわかりが早かった。女性がひとりで豪華な生活をしているからには、なにか裏がなければならない。援助をする者の存在は考えられることだ。

「そうなのよ。ごきげんを損じてしまったら、あたし、あがったりでしょう」

「事情はわかったよ。しかし、ここは五階だ。窓からは逃げられないよ。落ちて死んだりするのはいやだ。外国漫画によくあるように、ベッドの下にでもかくれようか」

「そうね。あ、そこの洋服ダンスのなかに入ってちょうだい。あたし、うまくあしらって、早目に帰ってもらうようにするから」

佐江子は洋服ダンスの扉をあけた。大型であり、ひとりぐらい入る余地はあった。須藤はスリルを面白がっているようだった。自分に直接の利害のない騒ぎだからかもしれない。

「早いとこたのむよ。このなかで長い時間、香水ときみの体臭のまざった服のにおいをかがされたら、変態になってしまわないとも限らない」

「のんきなこと言わずに、早く早く」

やっと須藤を押しこんだ佐江子は、灰皿のなかの須藤の吸殻をくわえ、口紅のあとをつけた。それから、ドアの鍵《かぎ》をはずし、波野を迎えた。

「お待たせしちゃったわ。きょうはいらっしゃらないのかと、さびしくてならなかったとこよ」

と、息を切らせたふりをし、そしらぬ顔で甘えた声を出した。

「ほんとに、そう思ってくれているのかな」

波野はまんざらでもなさそうだった。彼は五十歳ちょっとで、地位も金もある。不足なものといえば、青年の若さぐらいだ。これればかりは、どうしようもない。

「ほんとよ。あたしがこんなに楽しい生活をしていられるのも、みなパパのおかげでしょう。忘れたことはないわ」

しかし、波野はどことなくただよう、いつもとちがう室内の雰囲気に気がついた。酒のグラスが出しっぱなしだ。

「だれかいたのかい」

「ええ、さっきまでね。学校時代の女のお友だちよ」

波野は疑《うたぐ》り深そうに観察した。だが、口紅のついた吸殻ばかりなのを見て、いちおう安心したらしかった。

「それならいいんだ。わたしは時どき、きみが若い男と遊んでいるのではないかと想像すると、嫉妬《しっと》でたまらなくなることがある」

「まあひどい。あたし、パパ以外の男性に好意を抱いたことなんかないわ。それに、若い男ってきらいよ。精神的に物たりないわ」

洋服ダンスのなかでは須藤が聞いているだろうが、この際いたし方ない。波野は少し喜んだ。

「いい意見だな、それは。たしかに、近ごろの若い男は、どうも打算的で、軽薄で……。そうそう、きみの香水の店のとなりでカメラ店をやっている男など、どうも感心しないタイプだな……」

いい調子で須藤をこきおろしはじめた。佐江子ははらはらしたが、逆らっては怪しまれる。積極的に賛成しなければならない。痛しかゆしといった形だった。

「さて、わたしも酒を飲むことにしようか。それと、いつもの精力剤も持ってきてくれ」

と波野は言った。今夜は、ここに腰を落ち着けるつもりらしい。佐江子はウイスキーを持ってきながら、困ったように言った。

「あの、あたし、きょうは気分が悪いの。疲れたみたいだし、早く休みたいわ」

「まあ、いいじゃないか」

「それに、いらいらしているの。なにか、いやなことが起りそうな予感がするし……」

彼女はいろいろと断わり文句を並べたてた。だが、波野には通じない。

「わたしがしばらく来なかったので、さびしかったせいだろう。わたしもそうだ……」

どうしようもなかった。しかし、このまま洋服ダンスのなかに、須藤を朝まで入れておくことはできない。トイレにも行きたくなるだろうし、眠ってイビキをかかれたり、寝ぼけてあばれられたりしてもことだ。といって、波野を追いかえす名案もなさそうだ……。

その時、またもドアにノックの音がした。

波野はそれを聞きつけ、皮肉を言った。

「おい、だれか来たようだよ。スマートな青年でもやってきたんじゃないのか」

「そんなはずはないわよ」

佐江子はドアにむかって聞いた。

「どなた……」

「あたし、波野の家内ですの」

中年の婦人の声だった。佐江子は青くなったが、気をとりなおして応じた。

「そんなかた、ぞんじませんわ」

「ごまかしてもだめですのよ。主人のあとをつけさせた者から、さっき連絡があって出かけてきたのですものね。さあ……」

「でも、ちょっとお待ち下さい。いま着がえをしているところですから」

考えてみると、さっきと同じ口実だった。しかし、波野はそれに気づくどころではなかった。事態の重大さを知って、ふるえはじめた。そして、佐江子にしどろもどろの小声で言った。

「どうしよう。まさか、こんなことになるとは思わなかった。妻にこんな弱味を握られたら、わたしの計画もめちゃめちゃになる。そうだ。あの洋服ダンスにでもかくれることにしよう。うまくごまかしてくれ。成功したら、どんなお礼でもする。店の名義はきみに書換えてもいい。約束するよ」

こんどは佐江子があわてた。店の権利が完全に自分のものになるのはうれしいが、洋服ダンスは困る。すでに満員なのだ。

「そこはだめよ。トイレのほうがいいわ」

なぜだとも反問せず、波野はトイレにかくれた。佐江子はそれを見きわめ、ドアをあけた。

中年の婦人が立っていた。金のかかった和服を着ていて、ふとりぎみで貫録がある。押しの強そうな感じだ。

「さあ、うちの人に会わせて下さい」

「部屋をおまちがえになったのではございませんの……」

「まちがえるはずはないわ。その机の上に、グラスがいくつもあるのは、どういうことなのでしょう」

また、口紅のあとのない吸殻も指摘された。それはよく消えていず、まだ煙がでていた。佐江子は答えにつまった。

「ほら、ごまかせないでしょう。かくれているのなら、あたしがさがします」

強い勢いなので、さえぎりようがなかった。夫人はまず洋服ダンスに近よった。最も目につきやすいからだろう。反対もできない。立ちふさがれば、ますます勢いをますばかりだろう。

もう、どうなってもいいわ。佐江子はやけになった。しかし、破局に直面する勇気はなく、机の上のグラスを片づけるふりをし、キッチンのほうに急いで移った。

波野夫人は洋服ダンスをあけた。なかから、須藤優平が顔を出して言った。

「ばあ……」

ほかに言葉も考えつかなかったのだろう。波野夫人は驚いた。なかにかくれていることは想像していたのだが、まさか、それが見知らぬ青年とは。

「あら、失礼いたしましたわ。こんなところにいらっしゃるとは」

「ぼく、ここの佐江子さんのお友だちなんです。かくれんぼして遊んでいたとこですよ」

「まあ、そうでしたの。でも、いいおとしをして、かくれんぼなんて……」

「ぼく、頭が弱いんで、いつもみんなにからかわれてるんです。いっしょに遊んでくれるのは、佐江子さんだけなんです」

怪しげな言い訳だった。しかし、夫人のほうもばつが悪い。亭主の浮気の現場を押えようと乗り込んできて、人ちがいをしてしまうとは。なにはともあれ、失礼をわびるほかはない。

「ほんとに、ごめんなさいね。どうおわびしたらいいでしょう……」

波野夫人はとまどった。しかし、この青年は精神薄弱とか言っている。子供をあやすように、いたわってやればいいのだろう。頭をなでたり、手を握ったり、できるだけの親しみを示そうと努めた。

その時、閃光《せんこう》がひらめき、カメラのシャッターの音がした。開いたままのドアから、いつのまにか入ってきた男のしわざだった。夫人と須藤をうつしたらしい。

須藤は急いでその男を引きとめ、聞いた。

「写真屋を呼んだ覚えはないが、どういうことなのです」

「波野さんにたのまれ、奥さんのあとをつけ、浮気の現場を記録したのですよ。離婚訴訟を起し、有利に解決するための材料に使いたいのだそうです」

「まあ、待ってくれ。誤解だ」

「文句や弁解があるのでしたら、波野さんのご主人におっしゃって下さい。わたしはただ、依頼されたことをしたまでです」

須藤は呆然《ぼうぜん》としていた。そのあいだに、カメラを持った男は、さっさと引きあげていってしまった。

唯一《ゆいいつ》の証人

ノックの音がした。

ここは病室。一人用の特別室だ。街なかにある相当に大きな病院だった。大きいばかりでなく、設備もととのっており、いい医者がそろっているとの評判だった。

ベッドの上には一人の患者が横たわっていた。三十歳ぐらいの男で、頭にホウタイが巻かれている。インド人のターバンのようだ。ほかにはだれもいない。

ノックの音で、患者は読みかけの雑誌から目をはなし、声をあげた。

「どうぞ」

ドアが開き、若い看護婦が入ってきた。のりのきいた白衣を着ていて、食事をのせたお盆を持っていた。彼女は言った。

「昼食をお持ちしましたわ」

「あ、もうそんな時間か。なんにもせずに、ぼんやりと横たわっていると、時間の感覚がおかしくなってしまうな」

患者は身を起し、窓のそとを眺めた。この病室は六階なので、見晴らしはいい。少しはなれて、どこかの会社のビルが見える。その屋上で社員たちがくつろいでいた。バレーボールをやっている者もあり、のんびりと話しあっているらしい者もある。昼休みであることがわかった。

ふと思いついて、患者は聞いてみた。どうでもいいことなのだが、話し相手が欲しかったのだ。

「病室に入る時は、ノックをするものかい」

「そうとは限りませんわ。重症の患者や安静の必要な患者を、そんなことで目をさまさせてはいけませんもの」

「というと、ぼくは軽症というわけか」

患者は笑顔になり、看護婦はうなずいた。

「ええ。重態とはいえませんわ。お元気そうじゃありませんの。そのご、ぐあいはいかがですの」

「頭がまだ、ずきずき痛む」

患者はホウタイの上から、手で頭を押えて顔をしかめた。いくらか大げさな動作だ

XII
III
VI
IX

ったが、看護婦はそれに同情の視線をそそぎながらいたわった。

「ほんとに、お気の毒な目にお会いになりましたのね。それとも、勇敢さに感服したと申しあげたほうがいいのかしら」

患者はちょっと緊張し、気になるような口調になった。

「そんなうわさ、どこから聞いたのです」

「知りたくもなりますわよ。この病室のドアを、それとなく警官が見張っていて、出入りする者はいちおう調べられるんですもの。あたし、担当の看護婦だから事情を知っておく必要があると言ったら、とくに内密で教えてくれたのよ」

「そうだったのか」

「凶悪犯人たちの顔を目撃した、唯一の証人なんですってね」

彼女の声にも目にも、尊敬の念がこもっていた。患者はとくいそうな表情になり、食事をしながらしゃべりつづけた。

「警官の見張りがあるのなら、安心だ。べつに極秘にすることもないのだから、もっとくわしく話してあげてもいいよ」

「お願いするわ」

「四日前の夜のことだ。午前二時ごろ、ぼくは友人の宅からの帰りで、道を歩いていた。すると、ある大きな家のなかから、三人の男が忍び出てきた。ただごとでないけはいだ。どこかの家で電話を借りて急報すればよかったのだろうが、思わず呼びかけてしまった。すると、その連中は逃げるどころか、こっちへ飛びかかってきた」

「まあ……」

「ずいぶん争ったのだが、三人対一人。そのうち頭を強くなぐられ、気を失ってしまった。通りがかった人が発見し介抱してくれたのが、一時間ほどたってからだ」

「さぞこわかったでしょうね」

「いや、その時は夢中だった。しかし、あとで聞くと、その家の主人が殺され、大金が奪われたのだそうだ。それを知った時には、恐怖が一時にこみあげてきたな」

「そうでしょうね。で、その時、犯人たちの人相を見ることができたの」

「ああ、少しはなれた街灯の光で、ちょっとのあいだ見ただけだ。だが、ぼくをこんな目に会わせたやつらだ。決して忘れない。こんど会うことがあったら、すぐに指摘することができる」

「ほかには目撃者はいないそうね」

「襲われたあの家の主人は見ただろうが、殺されてしまった。証人となれるのは、ぼくだけということになる」

「容疑者がつかまれば、裁判の時の唯一の証人というわけね」

「ああ」

「正義のために、がんばってちょうだいね」

「もちろん……」

雑談をしているうちに、食事は終った。看護婦は食器を持って、病室から出ていった。

白く清潔で、静かで退屈な病室の時間が流れていった。そのなかにあって、ベッドの上の患者はすることがなくて困ったようすだった。眠ろうとしたが、睡眠は充分にとってしまってある。しかたなく、また雑誌を手にし、そのページをめくりはじめた。

またも軽くノックの音がした。つづいてドアが開き、医者が入ってきた。中年の男で、白衣のえりからは、きちんと結んだネクタイが見える。しかし、患者はその顔を眺め、ふしぎそうに聞いた。

「もう、午後の診察の時間ですか。いつもの先生とはちがいますね。なぜです」

「ああ、いつもの人は治療が担当だ。わたしは精密検査のほうで、専門がちがうのだ」

「そうでしたか。で、これから特別な診察でもなさるのでしょうか」

「診察というほどのことはない。参考のために、ちょっと質問に寄ってみただけだ」

「どういうことでしょうか」

「頭部のレントゲン写真、脳波のグラフ、そのほかわたしのところへ回されてきた資料を、ひと通り検討してみた」

「診断はどうなのですか」

患者は不安そうな声で、そっと聞いた。医者はうなずきながら言った。

「べつに異常は発見されない」

「それはよかった。ご存知でしょうが、ぼくが唯一の証人なんです。頭に異常があるとなっては、証言能力が問題にされてしまいます。そんなことにならないと知って、ひと安心しましたよ」

「それで、気分はどうなんだね」

医者はのぞきこみ、患者はまた頭に手をやった。

「まだ痛むのです。気のせいでしょうか」

「そうだろうとは思うが、さらに入念に検査する必要があるかもしれない。ちょっと、両手を前に出してみて下さい」

「ええ……」

患者は両手を顔の前に出し、あとの指示を待った。

「では、その両手を組んで、頭の下に当ててみて下さい」

「こうでしょうか……」

不審がりながらも、患者はそれに従った。両手の指を組合せ、それを頭と枕《まくら》のあいだに入れたのだ。どんな試験をやろうというのだろう。

「よし、それでいい」

医者はうなずき、左手で患者のひたいを強く押え、右手でポケットからなにかを取り出した。患者は、小型の電灯でも使って目を調べられるのかと思ったらしかった。だが、よく見るとちがっていた。噴霧器のようなものらしい。質問したくもなる。

「なんですか。それは」

「大きな声を立てないように願いたい。これは強い麻酔薬だ。ちょっと吸っただけでも、気を失う」

「いったい……」

あまりに突然であり、わけのわからないことなので、患者は声をあげかけた。だが、それは思いとどまった。病室の壁は厚く、声は伝わらないかもしれない。また、叫んだら、つぎに空気を吸わなくてはならない。相手はその時をねらって、麻酔薬の霧を出すかもしれないのだ。

抵抗しようとしたが、それも不可能だった。両手は組合わさって枕と頭のあいだにあり、頭を押えられているので動かないのだ。うまく計略にかかった形だった。医者は冷静な口調で言った。

「叫んでもだめだ。廊下の見張りには、痛い注射をすると説明しておいた。その叫びだと思うだけだ」

「これが診察なんですか。なんのために、麻酔をかけるのです。説明して下さい」

「診察などではない」

「どういうことなのです。なんでこんな目に会わされるのか、わかりません」

「わからないことはあるまい。自分がどういう立場の者かを考えればいい」

「ぼくは大切な、唯一の目撃者だ。だが、まさか、そんな……」

患者はふいに不安そうな顔になり、あわてた声を出した。とても信じられない、といったようすだった。しかし、医者は大きくうなずいてみせた。

「そうだ。そのためだよ」

「すると、さては殺し屋か。医者に化けて、侵入してきたというわけだな」

「化けたなどと言わんでくれ。わたしはここの病院の、ちゃんとした医者だ」

「その医者が、なぜ……」

「厚い札束を見せられると、どんな人間も気が変るというものだ」

「ぼくを消すつもりなんだな」

「最初は薬品を使って、盲目にする方法はないかと考えた。だが、わたしのしわざとわかっては困る。そこで、やはり安全で簡単な方法を使うことにした」

「しかし、そんなことをしたら殺人罪だぞ」

「そんな心配は無用だ。わたしが医者であることを忘れないでくれ。どうにでも形はつけられる。たとえば、気を失わせておいて、窓からほうり出してもすむ。脳波がおかしかったとすれば、自殺になる。もう、あきらめたほうがいいぞ……」

医者は平然と、患者の顔に噴霧器をさらに近づけた。

患者の両眼は恐怖と絶望で大きく見開き、おびえていた。だが、声をしぼり出し、すがりつくように訴えた。

「ま、待ってくれ。そんなはずはない。なにかのまちがいだ。聞いてくれ。誤解だ」

「ここまできて、いまさらなにを言う。遺言でもあるのなら、少しだけ聞いてやらないこともない。しかし、ただ聞いてやるだけだぞ。だれかに伝えてやるとの約束はできないな」

「それでもいい。いいか。ぼくは証人は証人でも、本当の証人ではないんだ」

「なんのことやら、さっぱりわからない話だな」

「早くいえば、ぼくも一味なんだ。つまり、犯行後ひきあげる時、万一の場合を考えて、頭を自分で軽くなぐり、道ばたに倒れていたのだ。すべては計画のうちだったのだ」

「なぜ、そんな役を引受けた」

「そうすれば、もし仲間たちがつかまったとしても、ぼくが唯一《ゆいいつ》の証人だ。ぼくが彼らは犯人とちがうと証言すれば、みな無罪釈放になる。念には念を入れた、安全第一の作戦だったのだ」

「そうかね。だが、わたしは消すようにとたのまれた」

「だから、なにかの誤解なんだ。もう一回、よく聞きただしてからにしてくれ」

「とんでもない。それから、あらためてやりなおすわけにもゆくまい」

医者はそっけなかった。患者はつぶやくように言った。

「もしかしたら、ぼくを信用せず、裏切られるのを心配したためかもしれない。それとも、分け前が惜しくなったのだろうか」

「いずれ、そんなところだろうな」

医者は同情したような口ぶりで同意した。患者はこの時とばかり、必死に主張した。

「そうにちがいないんだ。いいか、この点をよく考えてみてくれ。やつらは、仲間のぼくさえこのように信用しない。冷酷なんだ。利用価値がなくなれば、すぐに捨てる。そんな連中だから、あなただって、事情を知っているとなると、いつかは消される運命にあるんだ」

「なるほど。そう言われてみると、ひどいやつらだな」

医者の態度は少しやわらいだ。患者はそれで、さらに勢いを得た。

「たのむ。思いとどまってくれ。ぼくといっしょに、警察で本当のことを告白しましょう」

「よし、そうしてもいい」

医者はやっと承知してくれた。患者はほっとし、お礼の言葉を述べはじめた。

「ありがとうございます。ご恩は忘れません。しかし、よくすぐに、ぼくの言葉を信じて下さいましたね。医者をなさっていると、ひとを見る目ができてくるのでしょうか」

「そんなところだ。じつは、そうじゃないかと疑念を持ったので、一芝居うってみたのだ。ポケットのなかに小型のレコーダーをしのばせてね。よく自白してくれた。それとも、うまくひっかかったと言うべきかな」

それを聞いて、患者は歯ぎしりし、そのあいだから、くやしそうな声を出した。

「よくもだましたな……」

飛び起きようとした。医者も力を抜いていたので、はねかえせたかもしれない。だが、もはや手おくれだ。ここで医者を殺せば殺人になる。逃げようにも、この患者のかっこうではだめだ。そのうえ、ここのドアは警官が見張っているのだ。唯一の証人に、不測の事態がおこらぬようにと……。

盗難品

ノックの音がした。

夕方の七時ごろ。坂田順平は大きく柔かな椅子《いす》にかけ、パイプをくゆらせながら夕刊を読んでいた。

ここは彼の住居、かなり高級なマンションの一室だ。順平は四十五歳、カメラ関係の会社を経営していた。仕事はこのところ順調に進展していて、生活に不自由はない。したがって、自宅にいる時は、このようにゆうゆうとしていられる。

また、ノックの音がくりかえされた。

順平は、妻が妹にさそわれて音楽会に出かけ、留守であることを思い出した。彼は立ちあがり、ドアのところへ行って聞いた。

「どなたです」

「アパートの管理人からたのまれてうかがいました」

若い男の声だった。順平は鍵《かぎ》をはずしてドアをあけた。胸のポケットにネジ回しをさし、手袋をはめ、小さなカバンをさげた青年が立っている。順平は当惑したように言った。

「住いのことは、妻にすべて任せきりだ。しかし、今夜はあいにく外出で、十時すぎでなくては帰らない。なにかの修理だったら、あしたにでもしてほしいな」

「いえ、簡単なことです。ちょっと検査するだけのことですから」

青年は勝手になかへ入ってきた。いささか図々《ずうずう》しい感じだ。

「いったい、なんの検査です」

「防犯用の非常ベルが、完全かどうかを調べるのです」

「そんなことだったのか。そのベルならそこだ」

順平は壁の押しボタンを、事務的に指さした。青年はそれに近より、ネジ回しを使っていじりはじめた。順平はその背中にむかって、なにげなく話しかけた。

「なんでまた、そんな検査をやるのだ」

「泥棒のためですよ」

その言葉を聞いて、順平は愉快そうに笑い出した。

「これは傑作だ。なんという平凡な答えだろう。そんなことは、言われなくてもわかっている。それとも、ユーモアのつもりかね」

「おかしいですかね。そう平凡とは思いませんがね。少しもわかっておいでではないようだ」

「おいおい、気はたしかなのかい」

「たしかだとも。つまり、おれが泥棒だ。第一着手として、非常ベルの働きをとめるのに成功したというわけだ」

こう言って青年はふりむいた。いつのまに出したのか、手には刃物を持っている。あまりの意外さ、あまりの突然さに、順平は呆然《ぼうぜん》となり、抵抗する気力を失っていた。

いちおう気分が落ち着いた時には、手足をしばられ、床にころがされ、身動きができない状態になっていた。声をあげることはできそうだが、そんなことをしたら、なにをされるかわからない。

「いや、こんな作戦とは知らなかった」

順平が残念そうにつぶやくと、青年はとくいげに言った。

「これで、ひとつ利口になっただろう。二度とこの手にひっかからないですむというわけだ。さて、貴重な体験をさせてあげた教授料をいただくとしようか」

「なんのことだ」

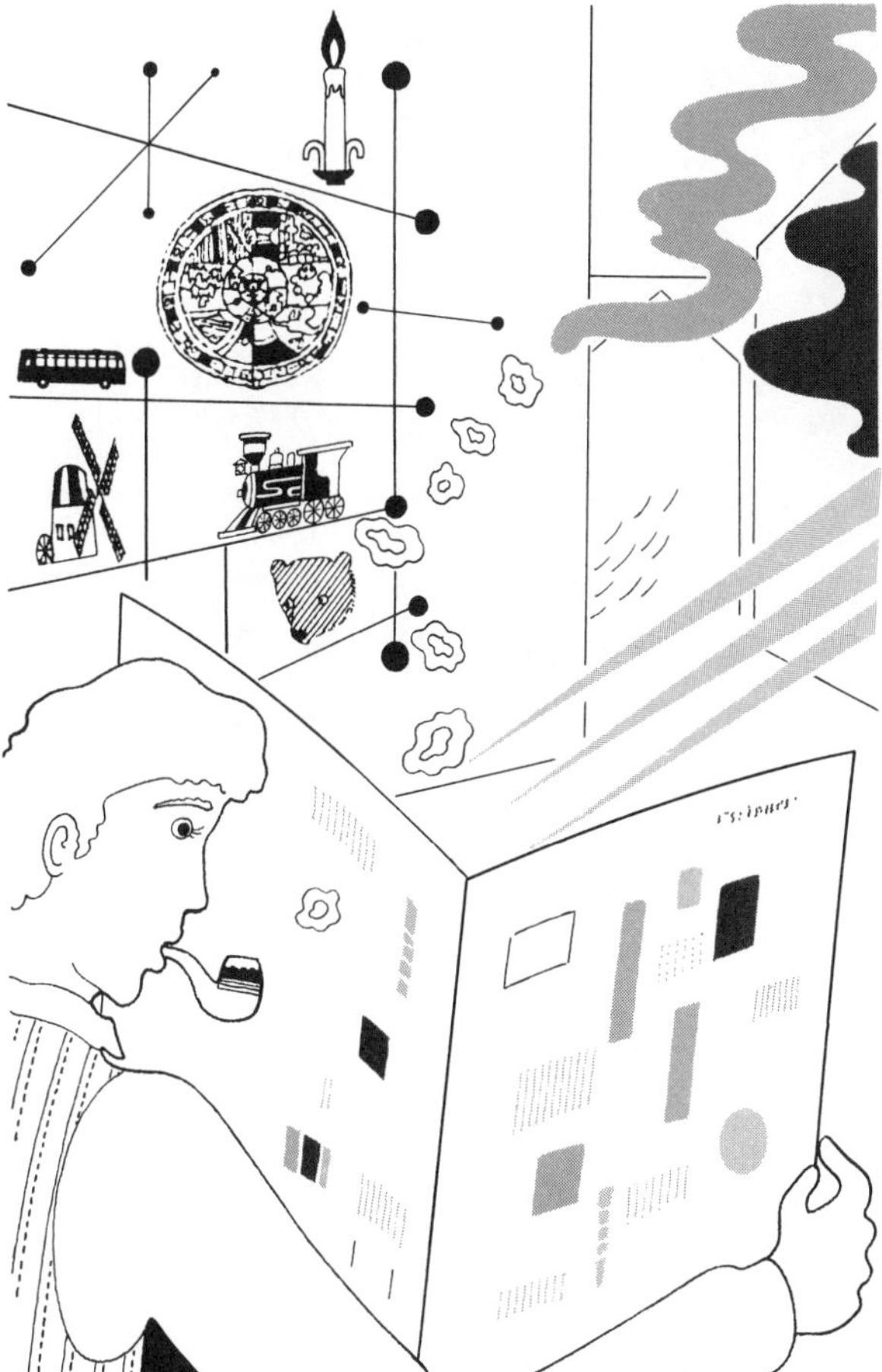

「早くいえば、金を出せという意味だ。あり金を出せ。景気がよさそうだから、ないとは言わせないぞ」

青年は室内を見まわしながら命じた。貧乏くささのない雰囲気から、収穫を期待しているらしい。だが、順平は首を振った。

「財産がないとは言わない。しかし、金は銀行預金にしてあり、身のまわりには置いてない。服のポケットの紙入れに紙幣が何枚か入っている。それでも持って帰ってくれ」

「そんな程度では満足できない。これだけの生活をしていて、手もとに現金のないはずがない」

「妻がへそくりとして、どこかにかくしているかもしれないが、わたしは知らない」

「よし。それなら、自分でさがし出して持ってゆく」

青年は室内を物色しはじめた。物なれたやり方で、手ぎわがよかった。手袋をしたままなので、指紋は残らない。

そのうち、机の上にあった書類用のカバンに目をつけ、手にとった。それを見て、順平はあわてて呼びかけた。

「あ、それだけはやめてくれ。会社にとって重要な書類が入っている」

「そう言われると、ますます見たくなる。おまえもひとがいいな。だまっていれば、おれも見のがしてしまったかもしれない」

青年はかまわず、カバンの中身を机の上にあけた。書類だの設計図だのにまざって、洋封筒がひとつあった。青年がなにげなくのぞくと、高額紙幣の束がでてきた。彼はすばやくそれをポケットに入れ、満足そうに笑いながら言った。

「なんだ、やはり大金があったじゃないか。すなおに早く教えてくれれば、おたがいに手数がはぶけたのに」

「だめだ。その金だけはやめてくれ。それを持っていかれては、なにもかもめちゃめちゃになる」

順平は熱心に哀願した。しかし、見つけられてしまっては、どうしようもない。

「まあ、そう興奮することはないだろう。これだけの生活だ。この程度の金がなくなったって、路頭に迷うこともないはずだ。それとも、なにか特別の理由でもあるのか」

「いや、それは言えない」

「それじゃ、同情のしようもない。悪く思うなよ」

思いとどまってくれそうになかったし、思いとどまってくれるわけがなかった。青年は浴室からタオルを持ってきて、順平にさるぐつわをして言い足した。

「しばらくは警察に届けるなよ。そんなことをしないほうが身のためだ」

それから、念のために電話機のコードを切り、部屋から出ていった。

順平はすぐにも飛び起き、叫び声をあげて追いかけ、奪われた金を取り戻したい気分だった。しかし、現実にはどうもならない。

さるぐつわのため声は出せない。しばり方が巧妙なのか、立ちあがることもできなかった。助けの求めようがない。夜おそくなれば妻が帰ってくるとはいうものの、それまでは待っていられない。早いところ、被害の対策をたてなくてはいけないのだ。いらだたしげに、順平は手に力をこめてみた。ひもは強く手首に食いこんでいるが、これをゆるめる以外に方法はないのだ。彼はそれに熱中した。

一時間ほどつづけると、効果があらわれ、いくらかゆるんできたようだった。彼はそれに力を得て、さらに三十分ばかりつづけ、やっと手を自由にすることができた。

足をほどき、さるぐつわを取ると、ようやく一息つけた。そのとたん、いままでは夢中で気がつかなかったが、手首の痛みを感じた。ひもでこすれて血がにじんでいる。彼は簡単にその手当てをし、水を飲み、タバコを一服した。

その時、ドアにノックの音がした。

順平は妻の帰宅かなと思ったが、それには少し早すぎる。彼はぶあいそに応じた。

「ああ……」

ぐったりと疲れていて、ていねいな言葉を口にする気分ではない。だれだか知らないが、どうせなら、もう少し早く来てくれればよかったのに。ドアの鍵はかけてないのだから、用事のある者ならあけて入ってくるだろう。

ドアが開き、来客が入ってきた。それを見て、順平は目を丸くした。さっきの青年だったのだ。

「なんだ、またやってきたのか。さては、しゃべられるのが心配になり、殺しに戻ってきたのか」

順平はふるえ声を出した。しかし、青年はドアを半分ほどしめ、おとなしい口調で言った。

「いや、そんなことではない。あやまりに来たのだ」

「どうして、そう急に気が変った」

「悪いことだと気がついたからだ。金を返すために戻ってきた。おれはさっき、ここから金を盗んだ。なあ、そうだろう」

　青年のあまりの変りように、順平は首をかしげた。

「酒にでも酔っているのか。酒を飲むと改心をする酒乱など、聞いたことがないが」

「少し酔ってはいるが、正気だ」

「なんだか計画がありそうだ。おまえの言うことは、どこまで信用していいのかわからないからな。警戒したくもなる」

「そんなことは言わずに、信じてくれ。おれを泥棒だと言ってくれ」

　青年は頭をさげた。真剣味がこもっている。

「こんなたのみを受けるのははじめてだ。だが、そう言ったとたん、ひどい目に会わされそうな気がしてならない。あの金はたしかに貴重だが、命のほうはもっと大切だ」

「そんなことは決してない。たのむ、おれを泥棒だと言ってくれ」

　青年はくどいほどに言った。ひざまずかんばかりで、必死の感情さえ感じられる。

「それで気がすむのなら、言ってもいい。しかし、大丈夫なのかな……」

「大丈夫だ。ご迷惑はかけない」

「では、わけはわからんが、言うことにするか。おまえはさっき、わたしをしばって室内を物色し、札束を奪っていった。さあ、これでいいか……」

「ありがとう」

「まったく、妙なやつだな」

順平は狐《きつね》につままれたようだった。


その時。ノックもせずに、半開きになっているドアから、二人の男が入ってきた。

順平は声をあげた。

「なんです。あなたがたは……。さては、こいつの仲間だな。だから、ただではおさまるまいと思っていたのだ」

するど、入ってきた男のひとりが言った。

「いや、警察の者です」

「とても信じられない。なぜ、警察の人がいまごろ……」

「じつは、さっき、あるバーから連絡があった。お客が紙幣を気前よく使っているが、どうも変な紙幣だという。そこで急行し、この青年をつかまえた。事実、たしかに変な紙幣だ。厚ぼったく、ごわごわし、色がおかしく、印刷が不鮮明だ。一見してにせ札とわかる。それに、番号が同じものばかりだ」

「なるほど……」

「この青年は盗んだのだと主張する。にせ札の行使は罪が重いから、たいていの犯人は知らずに受け取ったと弁解するものだ。だが、こう数が多くなると、盗んだという ほかはないのだろう。その言いぶんが本当なのか、ドアのそとで会話を聞いて、たしかめたわけだ」

順平は、侵入者が青年の仲間でなく警察の者と知って、ほっとしたようだった。

「そうでしたか。たしかに、わたしから盗んでいったものです。どうしようかと、一時は心配でなりませんでした。つかまえていただいて、助かりました。お金を返していただけるのですね」

「図々しいな。それとも、頭がおかしいのだろうか。ここから盗まれたのが本当なら、ニセ札犯人は自分だとみとめることになるんだぞ」

「とんでもない。わたしはにせ札犯なんかじゃありませんよ」

「しかし、この札はきみのだ。そして、使うつもりでいた」

「そうです」

「そして、これはにせ札だ」

「ちがいますよ」

順平の応答は、整然とした口調だった。それだけに、警察の二人はますます顔をしかめた。

「手のつけようがない。いよいよ逃げられないと知って、精神異常をよそおいはじめたのだろう」

「精神は正常ですよ」

「こっちまでおかしくなりそうだ。いったい、これがなぜ本物なのだ」

「これがなぜ、にせ札なんです」

順平は札の一枚を取り、みなを台所に案内した。そして、蛇口の水で洗ってさし出した。受け取って調べてみると、さっきとは一変し、本物にまちがいない。

「手品みたいなことだ。さっぱりわけがわからないが、どういうことなんだ」

順平はとくいそうに説明をはじめた。

「わたしはカメラ会社をやっています。しかし、現状に安住していては、他社に負けてしまいます。新製品の開発に努力し、やっと試作品が完成しました。水で洗えばきれいに落ちる感光印画紙、つまりこれです。試験的に紙幣にぬって、それに紙幣を複写してみたわけです」

「たしかに新製品のようだな」

「ええ。ですから、さっき盗まれた時は、これが産業スパイや商売がたきの手に渡ったらと、いてもたってもいられない気持ちでしたよ。分析されて、さきを越されたらおしまいですからね」

「そうだったのか。だが、紙幣に紙幣を複写するなど、人さわがせじゃないか」

「複写の鮮明さを見るには、サンプルに紙幣を使うのがいいのです。といって、普通の紙でやったら、法にふれるのじゃないかと思ったわけです。それに、悪用されないためには、どの程度の性能に押えるべきかの検討も必要だったのです。しかし、この泥棒は喜んで持っていってしまった。こうなると、製品化するには、もう少し性能を落すべきなのでしょうね」

人形

ノックの音がした。

都会からはなれた山ぞいの地方。まばらな林にかこまれた、ごく小さな家だった。むしろ、簡単な小屋といったほうがいい。あたりには、ほかに人家はなかった。なかには、これも粗末な机とベッド。机の上には食器類が散らばり、床には缶詰がいくつか積まれてあった。ちょっと不似合なものといえば、それは金庫だった。小型ではあるが、見るからに丈夫そうで、部屋の片すみにすえつけてある。

そのベッドの上には、一人の男が横たわっていた。目をとじているが、眠っているのではない。こんなに緊張した寝顔など、あるわけがない。男は手をのばし、タバコをくわえて火をつけた。開いた目は警戒の感情にみち、血走っていた。

いまのノックのような、かすかな物音。男はそれを聞きのがさなかった。とつぜんタバコを投げ捨て、身をひるがえしてベッドの下にかくれた。追われている獣のように、きわめてすばやい動作だった。ポケットの拳銃《けんじゅう》は瞬時に右手のなかに移り、いつでも発射できる身がまえになっていた。男はまず入口に、そして窓、さらに金庫へと、視線を忙《せわ》しく走らせた。

しかし、物音はそれきり起らず、窓のそとの空を黒い鳥が横切って飛んだ。小屋の屋根にとまっていたカラスが、虫でも見つけてクチバシで突っついた音だったのだろう。

男はほっとし、ベッドの下から出て汗をぬぐった。いままでに何回、このおびえた動作をくりかえしたことだろう。男は立って窓のそばに寄り、そとのようすをうかがった。

夏の午後の、けだるい静かさが広がっている。動くものといえば、林の木々をぬって舞うチョウぐらいだった。おだやかなながめだ。しかし、この男には、どこかの木のかげに、だれかがひそんでいるように思えてならなかった。もちろん、気のせいだろう。だが、気のせいであるとの断言はできないのだ。

男は窓ガラスをしめ、カーテンを引いた。風が入らず暑くはなるが、いくらか気が休まった。もっとも、どっちがいいのかはわからない。しめておいても、あけておいても、やはり不安なのだ。これもまた、何度かくりかえしてきた動作だった。

SUISAN

数日前、この男は人を殺して金を奪った。殺した相手は非合法の商売をしていた者。だからこそ、奪った金も相当な額だった。しかし、そのあとが問題だ。追われている獣。まさに、その通りだった。ボスの子分たちは子分たちで、復讐《ふくしゅう》と金の回収のための行動に移りはじめているだろう。また、警察は警察で、独自の捜査にとりかかっているだろう。二倍の密度で、しらみつぶしの追跡がなされているにちがいない。

もちろん、これは計算ずみのことだった。そのために、男は前々から、かくれ家としてこの小屋を用意しておいたのだ。道からひっこんだ場所で、あまり人目につかない。男は注意してここにたどりつき、札束を金庫におさめ、一息ついたのだった。

当初の予定では、のんびりとこの小屋で、ほとぼりのさめるのを待つつもりだった。だが、いざここへ来てみると、あまり落ち着いた気分にもなれなかった。刺激がなく、静かすぎるためかもしれない。考えることといえば、身の危険への心配になってしまう。そして、考えるにつれ、心配の度が高まってしまうのだった。

警察にしろ、子分たちにしろ、すべてが恐ろしい猟犬のように思えてくる。かすかなにおいをたよりに、あちこち地面をかぎまわり、徐々に近づいてくるのでは……。やがては、音もたてずにこの小屋へしのび寄り、不意に飛びこんでくるのでは……。

静寂のなかで、男はいらいらしていた。睡眠不足でもあり、また眠れもしなかったのだ。眠らなくてはいけないと思い、眠ってはいけないと思う。男はウイスキーのびんを手にし、少し口をつけた。なまぬるい液体がのどを流れ、いくらかの酔いをもたらした。男はベッドに倒れ、うとうとした。

ドアにノックの音がおこった。たしかにノックの音だった。

男は反射的に、またベッドの下にかくれた。いままでに、何度もかげにおびえてきた。しかし、今回はかげではない。かげがノックをするはずがない。酔いも眠気も、たちまち消えた。

またも、ノックの音がした。その音は動悸《どうき》を高め、顔から血の気を奪った。うとうとしていたのがいけなかった。ここまで近づかれる前に察知できなかったとは。男は拳銃をドアにむけ、声をかけた。

「だれだ」

この鋭い呼びかけにとまどったように、そとの声が言った。

「ごめんください」

かすれた女の声で、老女らしく思えた。男はそうと知って、肩で大きく息をついた。子分たちや警察のたぐいではなさそうだ。しかし、気を許したわけではなかった。わなかもしれない。

「なんの用だ」

と言いながら、カーテンのかげからのぞいてみた。ドアの前に立つ、山の住人らしき老女の姿が見えた。夕陽のさす林には、人影のひそんでいそうなけはいはない。

「買ってもらいたいものがあっての。まあ、見るだけ見て下され」

なまりのある老女の声が答えた。山での獲物を町に売りに行く途中、この小屋を見つけて立ち寄ったのかもしれない。そのほうが高く売れるし、労力も助かると判断したのだろう。

なにか買うのも悪くないな。缶詰ばかりで、いささか飽きている。男は拳銃を握った右手をズボンのポケットに入れたまま、左手でドアの鍵《かぎ》をはずした。

腰のまがった老婆《ろうば》が、ただようような歩きぶりで入ってきて、身をかがめた。男は油断なく見つめながら聞いた。

「おばあさん。なにを売ろうというのだい。野菜かい、それとも、小鳥かなにかかい」

「いや、そんなものではないだ」

老女はかすかに笑った。そういえば、包みもかかえていず、籠《かご》もせおっていない。

男は警戒心を高め、観察しなおした。

油けのない白さの多い髪が、しわの多い顔に乱れている。なりふりをかまわない姿だ。しかし、どこかしら異常な印象を発散している。男はやがて、その原因を発見した。こんな山奥なのに、また相当な年齢らしいのに、目の光に鋭さがある。男は聞いた。

「なにを買ってもらいたいのだ」

「すごい品、人形だよ」

「人形……」

男はおうむがえしにつぶやき、その意外さに顔をしかめた。人形ばかりは、いまのところ不要だ。なんでそんなものを売りたがるのだろう。おれが買いそうにでも見えるのか。男は老女の顔を、あらためて見なおした。もうろくしているのかもしれない。あるいは精神がおかしいのだろうか。

しかし、そんなことはおかまいなく、老女は大切そうな手つきで、ふところからなにかを取り出し、机の上に置いた。

「ほら、人形。わらで作った人形だよ」

たしかに、わらで作られた人形だった。山のにおいがし、素朴な形だった。

「なるほど、面白いものだね。しかし、せっかくだが、おれには民芸品の趣味がないのでね」

男は断わった。買ってもいいのだが、気前よく金を払って、話題になったりしても困る。聞きつたえて、ぞろぞろと押しかけてこないとも限らない。目立ちたくないからこそ、ここにかくれているのだ。しかし、老婆は腰をあげようとしなかった。

「わら人形を知らないのかね。呪《のろ》いのわら人形を。これは本物なんだよ。作り方を知っているのは、もうわたしだけになってしまった……」

くどくどと話がつづいた。材料も普通のわらでないこと。作る時の儀式のむずかしさ。年にひとつしか作れないこと。そして、それを売ることで暮していること。したがって、高く買ってもらわなければならないが、そのかわり効果のあることなど。

「わかったよ。しかし、いらないいんだ」

男は手を振り、重ねて断わった。どうやら、頭がおかしいようだ。目の光の異常さも、それで説明がつく。呪いの人形など、あるわけがないじゃないか。ばかばかしい。

そんな男の感情を、老婆のほうも気がついたらしい。少し声を高めて言った。

「本当だよ。なんなら、ためしてみなさるかね」

男はうなずき、それに従うことにした。やらせてみせ、無効を実証すれば、あきらめて帰ってくれるだろう。やってみないうちは、帰らないかもしれない。まあ、退屈をまぎらせる役には立つだろう。男はこのところ、他人と会話をしたことがなかった。

「わかった。やってみることにしよう。で、どうすればいいのだ」

「旦那《だんな》さんの、爪《つめ》か髪の毛を少し……」

男は自分の手を見た。爪は伸びていたが、はさみをさがすのが面倒だった。男は髪の毛をかきむしった。三本ほどの抜け毛が指にからまった。老女はそれを受け取り、しなびた手で、わらの間に押しこんだ。

ぶきみな雰囲気がわきあがった。外見はなんの変化もなく、素朴な人形のままなのだが、どことなく生気をおびたようだった。しかも、それが自分に似ているとなると……。

仮装大会かなにかで、わら人形に扮装《ふんそう》した自分。それをそのまま小さくして、机の上に横たえ、ながめているような気分だった。これも、老女があまりに熱心で、その妄想に酔っているためだろう。泣いている人を見ると、こちらも悲しくなるものだ。狂気もある程度は伝染するかもしれない。

老女は針をとり出した。その銀色の輝きに、男は理由もなく少し震えた。しかし、老女は針を男にさし出して言った。

「刺してみなさるがいい。強くはいけないよ。足のほうでも、そっと突いてごらんなされ」

男はやってみた。そして、とたんに飛びあがり、うめき声をもらした。自分の足に鋭い痛みを感じたのだ。ズボンをめくってみると、血がにじんでいる。横目で人形を見ると、針を刺した場所に相当している。

つぎには、恐る恐る腕に試みた。やはり同じことだった。

男は老女の顔を見た。老女の顔には、当然のことだと答える表情があった。いままでの不信に対する薄笑いのようなものもあった。こうなると、買わざるをえない。このまま持ち帰られたら、どう考えてもいい気持ちではない。

告げられただけの金額を、男は支払った。いまの男にとっては、べつにこたえない金額だが、老女にとってはそれが一年間の小遣いになるのだろう。老女は金を受け取ったが、あまり頭を下げなかった。そのかわり、説明を加えた。

「これは当人そのものといっていい。だから、逆におまもりにも使えるよ。これが安全なうちは、その当人にも危害が及ぶことはない……」

老女はわらの間から、男の毛を出し、さらに言った。

「ためすのは、これで終り。さあ、好きなように使いなさるがいい。あと一回だけ使えるよ。また、だれに対しても使える。使いたくなければ、焼き捨てておくれ。旦那さんは、どんな使い方をなさるかな……」

老女は声のない笑いをした。いままで作った人形たちがもたらした結果でも思い出しているのだろうか。それとも、作ってしまえば、あとはどう使われようとかまわないという、なげやりな楽しみなのだろうか。売れたことへの喜びなのだろうか。それらの判断はつけられなかった。男は呆然《ぼうぜん》としていたし、老女は足音も立てず帰ってしまったからだ。

夢のようだった。追跡される不安におびえての、悪夢か幻覚のようだった。だが、わら人形は机の上に、むぞうさに残されてある。男は見つめ、目をそらせ、また見つめてからつぶやいた。

「ききめは本当にあるようだ。なにか、うまい利用法はないだろうか」

足と腕とに残る痛みを感じながら、男は有効な使い方を考えた。もちろん、殺したい相手がないわけではない。自分を追う連中のすべてだ。だが、それは大勢であり、毛髪や爪を手に入れようもない。せっかくの人形も、照準器のはずされた火器と同じだ。

男の頭のなかでは、安全への欲望と、人形の役立たせかたが、さまざまな結びつきをくりかえした。ほかに考えることとてない。それへの集中がつづけられたせいか、ある考えが鮮明になってきた。

男はそれを実行しようと決意し、またも自分の毛髪を人形におしこんだ。人形は生気をとりもどし、薄暗くなりかけた光のなかで、うごめいたように思えた。真夜中になにげなくのぞいた鏡、その奥に自分をみとめた時の感じに似ていた。しかし、男は思いつきをやめなかった。

男は金庫を開き、なかの札束をカバンに移し、かわりに人形をおさめた。老女の言う通りならば、こうしておけば、おれも安全というものだ。弾丸にも襲われないだろうし、当ったところで無傷ですむだろう。

男は金庫の扉をしめた。容易にはこわれない金庫だ。この小屋に金庫をそなえた時は、ばかげたような気がしないでもなかったが、こんなふうに役に立つとは思わなかった。

気のせいだけではない。ここへ来てはじめて、心からの安心感がわいてきた。おびえた気分はどこかへ消え、絶対的な防備を身のまわりに得たようだった。久しぶりに、ぐっすりと眠れそうだ。

男はダイヤルをまわし、さらに鍵をかけ、その鍵をみつめた。やがて、その鍵をたたいてつぶした。鍵を残しておくと、だれかが拾ってあけることもありうる。それを防ぐには、念を入れておいたほうがいい。さらに万全を期し、この金庫をそとに持ち出し、地下に埋めることにしよう。人形はだれにも発見されず、おれも他人につかまるまい。ゆうゆうと逃走もできるのだ。

埋める場所をきめるため、男は小屋から出ようとした。ドアを引く。しかし、それはなぜかあかなかった。鍵もかけてなく、さっきは簡単にあいたのに……。

男は窓ガラスを引こうとした。しかし、それもあかない。拳銃《けんじゅう》でガラスをたたいてみたが、割れるどころか、ひびも入らない。こんなことがあるだろうか。男はあわてて、壁に体当りをし、屋根を調べ、床板にも突進した。しかし、それも同様で、なにもかもびくともしない。ちょうど、きわめて丈夫な金庫のなかに閉じこめられでもしたかのように。

あとがき

自分の作品のあとがきとなると、どうしても回想になってしまう。本書の成立事情ということは、つまり思い出なのである。

作家になって何年かたった時、当時「SFマガジン」の編集長だった福島正実さんが、フレドリック・ブラウンの短編集の翻訳をやらないかとの話を持ってきた。売れっ子で超多忙という状態ではなかった。考えてみると、私はブームなるものを体験したことがない。そうならないよう、避けているせいかもしれない。

それはともかく、ブラウンはショートショートの名手ということもあり、やってみた。それは現在、サンリオ文庫で読むことができる。読みやすさの点では自信がある。もっとも、編者がロバート・ブロックで、私ならべつな選び方をしただろう。

そのなかに「ノック」という短編がある。はじまりはこうだ。

わずか二つの文で書かれた、とてもスマートな怪談がある。

「地球上で最後に残った男が、ただひとり部屋のなかにすわっていた。すると、ドアにノックの音が……」

さきを読みたくなる、巧妙なしくみだ。いったい、だれがというわけだ。結末を書くのは好ましいことではないのだが、じつは、地球で最後に残った女。

しかし、ストーリーがひねってあり、聖書の創世記をふまえてあり、ラストを知って読んでも面白い話だ。この冒頭部分、ブラウンの創作なのか、昔からある話かも不明で、いまだに気になっている。ほかになにか、結末のつけようがあるかもしれない。挑戦してみたいし、その種のことはやったことがあるが、自分で訳したものとなると、どうにもやりにくい。

そのあと、石川喬司《たかし》さんがまだ毎日新聞につとめていた時代で、私へ週刊誌への連載の話があった。

ショートショートが専門で、連載とは大変だったろうとお思いのかたもいるだろう。しかし、私はその前に新聞連載で『気まぐれ指数』というのを、いちおうこなしているのだ。驚きだね。で、やってやれないことはないし、むしろ楽かもしれないと感じた。

だから、とくにあわてもしなかった。しかし、新聞と週刊誌では、性質がちがう。読みはじめてくれれば、新聞は前日のつづきである。一方、週刊誌は七日目ごとである。どうなっているのか、忘れてしまう人もいるのではないか。げんに私は、新聞連載はいろいろと読んでいた。だが、週刊誌の小説となると、ほとんど読んでいない。書き方のこつが、よくわからない。

それなら、いっそ、読切りの短編でやってみようか。その方式だと、その号だけで面白がってくれるだろう。私も若かった。ほかにも月刊誌の仕事をこなしながら、週間単位で短編を書くなんて、いま思うと気力があったなあである。

通しタイトル、つまり題名をどうしようかと聞かれ、なぜかブラウンの作品が頭に浮かび「ノックの音が」にした。〝の音が〟の三字がついただけのちがいである。

どの作品も、その文ではじめれば、題名も生きてくる。ただ、当時はまだSFはさかんでなく、多くはミステリー風の短編となった。

なぜこの題名にしたかの、もうひとつの理由は、私は室内だけで完結させる形式が好きなのである。ほかの作家とちがう特色といえるだろう。出不精のせいかな。たしかに、取材してまわることが少ない。

主人公をあちこち移動させると、読者も頭の切り換えをしなければならない。その描写をすると、作品が長くなる。一幕物のドラマだと、短編としてわかりやすい。これは、本書に収録した作品に限らない。最後の「人形」は、別な雑誌にのせたものだが、本にまとめる時に薄すぎるかなと、一部を加筆して、ここにおさめた。さがせば、一部屋物の作品は、かなりあるだろう。

さっき、新聞連載の長編は楽だったと書いた。それは、風俗を書いてふくらませられるからである。いちいち、場所や人物の設定に頭を使わなくてもすむ。そこに安易さを感じ、あえて避けたといえないことはない。私は、かなりあまのじゃくでもある。また、作品は風俗の部分から、まず古びてゆくのである。

風俗描写を避けようと思いながら、本書でそれをやってしまった。ブラウンの印象の強烈だったせいもある。つまり、現在ならブザーのほうが適切な場合もあるのではなかろうか。

しかし、ノックとブザーでは、どこか感じがちがう。ノックだと、よくも悪くも、人間的ななにかがある。たたき方によって、訪問者の見当がつけられる。ブザーだと、電線なるものが中間にあって、人間性がうすれてしまう。

昨年、スタンレイ・ジョーンズ氏が、私の本を講談社インターナショナルから英訳して出したいというので、ご自由にお選び下さいと答えておいた。そうしたら、本書が訳され『There was a knock』と題して出版された。ブラウンの短編は「Knock」で、混同される心配もない。これらの作品は、現在の英語国民にも、どこか面白さの共通する部分があるのだろう。

日本の読者も、楽しんで下さい。

昭和六十年八月

この作品集は昭和四十年十月毎日新聞社より
刊行され、その後講談社文庫に収められた。

星新一著
ボッコちゃん
ユニークな発想、スマートなユーモア、シャープな諷刺にあふれる小宇宙！　日本ＳＦのパイオニアの自選ショート・ショート50編。

星新一著
ようこそ地球さん
人類の未来に待ちぶせる悲喜劇を、卓抜な着想で描いたショート・ショート42編。現代メカニズムの清涼剤ともいうべき大人の寓話。

星新一著
気まぐれ指数
ビックリ箱作りのアイディアマン、黒田一郎の企てた奇想天外な完全犯罪とは？　傑出したギャグと警句をもりこんだ長編コメディー。

星新一著
ほら男爵現代の冒険
〝ほら男爵〟の異名を祖先にもつミュンヒハウゼン男爵の冒険。懐かしい童話の世界に、現代人の夢と願望を託した楽しい現代の寓話。

星新一著
ボンボンと悪夢
ふしぎな魔力をもった椅子……。平和な地球に出現した黄金色の物体……。宇宙に、未来に、現代に描かれるショート・ショート36編。

星新一著
悪魔のいる天国
ふとした気まぐれで人間を残酷な運命に突きおとす〝悪魔〟の存在を、卓抜なアイディアと透明な文体で描き出すショート・ショート集。

新潮文庫最新刊

佐伯泰英著

安南から刺客

新・古着屋総兵衛 第八巻

総兵衛が江戸に帰着し、古着大市の無事の成功に向けて大黒屋は一丸となって準備に追われていたが、謎の刺客が総兵衛に襲いかかる。

誉田哲也著

ドルチェ

元捜査一課、今は練馬署強行犯係の魚住久江、42歳。所轄に出て十年、彼女が一課に戻らぬ理由とは。誉田哲也の警察小説新シリーズ！

桜木紫乃著

硝子の葦

夫が自動車事故で意識不明の重体。看病する妻の日常に亀裂が入り、闇が流れ出した――。驚愕の結末、深い余韻。傑作長編ミステリー。

近藤史恵著

サヴァイヴ

興奮度No.1自転車小説『サクリファイス』シリーズで明かされなかった、彼らの過去と未来――。感涙必至のストーリー全6編。

朝吹真理子著

流跡

ドゥマゴ文学賞受賞

「よからぬもの」を運ぶ舟頭。水たまりに煙突を視る会社員。船に遅れる女。流転する言葉をありのままに描く、鮮烈なデビュー作。

古井由吉著

辻

生と死、自我と時空、あらゆる境を飛び越えて、古井文学がたどり着いたひとつの極点。濃密にして甘美な十二の連作短篇集。

新潮文庫最新刊

ノックの音《おと》が

新潮文庫　ほ－4－33

昭和六十年九月二十五日　発　行
平成二十四年四月二十五日　二十八刷改版
平成二十六年六月十日　三十刷

著　者　星《ほし》　新《しん》　一《いち》
発行者　佐藤隆信
発行所　株式会社　新潮社

郵便番号　一六二―八七一一
東京都新宿区矢来町七一
電話　編集部(〇三)三二六六―五四四〇
　　　読者係(〇三)三二六六―五一一一
http://www.shinchosha.co.jp

価格はカバーに表示してあります。

印刷・株式会社光邦　製本・株式会社植木製本所

ISBN978-4-10-109833-3 C0193